UN CRIME SANS IMPORTANCE

IRÈNE FRAIN

UN CRIME SANS IMPORTANCE

récit

ÉDITIONS DU SEUIL
57, rue Gaston-Tessier, Paris XIXe

ISBN 978-2-02-145588-5

www.seuil.com

À ceux qu'on n'écoute pas.
Et à ceux qui ont entendu.

« Lorsque les souffrances deviennent insupportables,
les cris ne sont plus entendus.
Les cris, aussi, tombent comme la pluie en été. »

Bertolt Brecht

1

Faits et gestes

J'ai entrepris d'écrire ce livre quatorze mois après le meurtre, quand le silence m'est devenu insupportable.

Les faits. Le peu qu'on en a su pendant des mois. Ce qu'on a cru savoir. Les rumeurs, les récits.

Sur cette affaire, longtemps, l'unique certitude fut la météo. Ce samedi-là, il a fait beau. La rentrée scolaire avait eu lieu le lundi précédent mais les rues, d'heure en heure, reprenaient un air estival. Une lumière limpide, pas un souffle de vent. Dans les commerces et sur les parkings des hypermarchés où les habitants de la ville font rituellement leurs courses du week-end, on pointait le ciel lorsqu'on croisait ses amis ou ses voisins ; on parlait d'été indien. Certains avaient ressorti leur bermuda et leurs tongs. Ils prévoyaient de déjeuner dans leur jardin, près d'un barbecue ou sous un parasol. Les rayons boucherie ont bien marché. Vers treize heures, dans les zones pavillonnaires, quand le peu de nuages qui voilait le ciel s'est dissipé et que le soleil a donné à plein, ça a senti la viande grillée. Ce fut peut-être le cas dans l'impasse où s'est déroulée l'agression, la cinquième du lotissement, à une cinquantaine de mètres à peine de la clôture qui sépare les dernières maisons du magasin Décathlon et son gigantesque entrepôt.

L'agresseur, a-t-on assuré, s'est introduit dans la maison en plein jour. On ignore à quelle heure. Pour trancher, il faudrait prendre connaissance du rapport du policier qui a dirigé les investigations. Celui-ci, malheureusement, quatorze mois après les faits, ne l'a toujours pas remis au tribunal.

On dispose toutefois d'informations livrées par l'homme qui a découvert la victime. Lors d'un entretien téléphonique avec un membre de la famille, il a déclaré que ça s'était passé en fin d'après-midi.

Le maire de la ville, lui, quinze mois plus tard, croyait se souvenir que le meurtre s'était produit le matin. « C'est en tout cas ce qu'il me semble », soupira-t-il, un peu las. À la même époque, un voisin – celui dont le jardin donne sur la partie arrière de la maison du crime – restait quant à lui persuadé que les faits s'étaient déroulés dans la nuit du samedi au dimanche : « Dire que pendant ce temps-là, on était à dormir tranquillement. Dire qu'on n'a rien entendu, dire que les chiens n'ont pas aboyé. » Il ne s'en remettait pas, que ses vieux chiens soient restés muets cette nuit-là. Ni que sa femme et lui aient dormi comme des souches au moment présumé du drame. Il répétait : « Je dormais, je n'ai rien pu faire. »

Il s'en voulait. Il se fera des reproches jusqu'au jour où il connaîtra le scénario probable du crime. Qui lui en fera part ? La police n'a diffusé que des informations parcellaires ; par conséquent, la presse aussi. Quant à la justice, elle est quasi muette.

Certains habitants du lotissement où vivait la victime connaissaient pourtant ses habitudes ; l'un d'entre eux (en tout cas d'après des bruits qui ont couru plus tard) a livré aux enquêteurs une information qui aurait soulagé l'homme aux chiens. Méfiante, jalouse de sa solitude, la victime n'ouvrait pas au premier venu, et refermait scrupuleusement ses volets avant la nuit pour ne les déverrouiller qu'au matin. Or quelqu'un aurait remarqué qu'ils seraient restés ouverts le samedi soir. D'où l'hypothèse qui se répandit dans la ville : l'agression avait eu lieu en plein jour et en fin d'après-midi.

Quoi qu'il en soit, si la victime a hurlé, nul ne l'a entendue. Personne n'a été alerté non plus par le fracas de la vitre brisée, ni par le vacarme des objets que l'agresseur pulvérisa ensuite dans la maison ; et encore moins par l'écho des coups répétés qu'il lui portait. Soit il a attaqué le matin, après un aguet, lorsqu'il a vu que sa proie, scrupuleusement repérée et observée les jours précédents, avait ouvert ses volets et commençait à vaquer à ses occupations, alors que ses voisins immédiats dormaient encore ; soit il a surgi dans la maison à l'approche du soir et les voisins étaient absents ou rivés à leur téléviseur. À moins que, tout simplement, ils n'aient été anesthésiés par la splendeur de ce samedi de septembre et la douceur de la soirée qui s'annonçait.

Mais le drame a pu se dérouler dans un quasi-silence. À la vue de l'intrus, la victime, saisie d'épouvante, a peut-être été incapable de proférer un son, et ensuite, au moment où elle l'a affronté – puisqu'il s'est dit qu'elle lui a résisté –, elle n'a pas émis un seul cri.

Dans l'article qu'il a consacré à l'agression, le journaliste n'évoque pas l'affaire des volets. Quatorze mois après le crime, ça lui disait quelque chose, mais quand on lui demanda d'être plus précis, il fut comme le maire et l'homme aux chiens : il ne se rappelait pas.

Il ne se souvenait pas non plus des hypothèses émises par les policiers. Tout ce qui lui revenait, c'est qu'il avait été averti du drame, non le jour de sa découverte, mais le lendemain lundi en début d'après-midi. Comme l'extrême violence des faits, ce coup de fil l'avait marqué. Seulement, l'agression avait-elle eu lieu le samedi matin, ou à la tombée de la nuit ? Il avait beau chercher, il ne trouvait pas.

Il réfléchit. Sa source, estima-t-il au bout d'un moment, ne lui en avait pas parlé. À tout prendre, si l'homme qui avait découvert le corps inanimé de la victime, l'un de ses fils, avait situé l'agression en fin d'après-midi, il penchait pour sa version : « Il a nécessairement passé beaucoup de temps avec les policiers. Ils ont dû lui lâcher l'information. Ne serait-ce que pour vérifier son alibi. »

Puis, après un nouveau moment de réflexion, il ajouta : « Il y avait pas mal de sang dans la maison. À moins de vingt-quatre heures d'une agression, la police, je pense, peut exploiter ces traces. Elle doit avoir le moyen de les dater assez précisément. »

La fin de l'après-midi, admettons.

Encore faudrait-il savoir ce que la victime a fait de sa journée. La police a sûrement son idée sur la question : selon l'article publié par le journaliste le mardi suivant, de minutieux relevés furent effectués dès la découverte du drame. Mais comme le rapport du chef d'enquête est encore sous le boisseau, le mystère reste entier, sauf sur un point, qu'on doit toujours au fils de la victime. Lors de la conversation téléphonique qu'il eut avec sa parente, il mentionna qu'au moment de l'agression, sa mère était absorbée par la confection de sachets parfumés. Elle cultivait de la lavande dans son jardin, précisa-t-il, il l'avait aidée à la récolter le dimanche précédent, après un déjeuner de famille. Elle l'avait fait sécher pendant la semaine ; le samedi du meurtre, après en avoir soigneusement égrené les minuscules sommités florales, elle avait entrepris d'en bourrer des petits sachets qu'elle avait confectionnés – elle était très douée de ses mains.

Selon son fils, elle se trouvait dans sa cuisine au moment de l'effraction. D'où les sachets et les fleurs qu'on y découvrit, abandonnés sur la table comme ils étaient lorsqu'elle entendit le fracas de la vitre brisée, ou qu'elle sentit une présence inconnue, ou que l'agresseur surgit devant elle – là encore, on ne savait pas.

La lumière d'un été qui ne se décidait pas à finir, les effluves légèrement narcotiques des fleurs de lavande qui embaumaient sa cuisine, et pourquoi pas, les autres pièces de son pavillon de plain-pied sur le jardin, le plaisir qu'elle éprouvait à confectionner ses sachets – elle projetait sans doute d'en offrir quelques-uns à ceux qu'elle aimait –, ses dernières heures avant l'horreur, au moins, furent paisibles, radieuses.

La maison, le quartier. Pourquoi, à son domicile et en plein jour, s'est-elle retrouvée, selon la formule consacrée, au mauvais moment et au mauvais endroit ?

Pas d'étage dans ce pavillon, juste un semblant de grenier. À l'arrière, un vaste séjour. Sa baie vitrée donne sur une grande pelouse. Une haie épaisse la sépare de la maison de l'homme aux chiens. Le terrain est jalonné de massifs assez fournis pour qu'un rôdeur, voire plusieurs, puissent s'y cacher.

Mais comme cette femme, qui vit seule, est très méfiante et prend bien soin de se claquemurer avant la nuit, elle peut raisonnablement se croire en sécurité. Sa maison, la deuxième de cette courte impasse qui en compte cinq, est d'apparence plus modeste que les autres, comme le montre le cliché pris par le journaliste dépêché sur les lieux quarante-huit heures après l'agression : une bande de gazon calciné par l'été, une porte d'entrée banale, un volet de garage fatigué, une fenêtre si haut placée qu'on se demande ce qu'elle vient faire là. Le reste de la construction est caché par un arbre. Il faut s'approcher pour distinguer, à la gauche de la porte d'entrée, une autre pelouse ceinturée d'un muret de pierres sèches. En ce début septembre, le feuillage de cet arbre demeure touffu.

Pour se faire une idée précise de la maison, de sa configuration, de ce qu'elle contient, on doit donc sauter la grille qui la sépare de la rue et rejoindre, en suivant une petite allée pavée, sa façade arrière. Un jeu d'enfant : elle n'excède pas un mètre.

On peut s'en dispenser ; il suffit de consulter le site Street View. Rien n'interdit que les malfrats, si frustes soient-ils, ne se prêtent à l'exercice ; pour le lotissement, en tout cas, ses vues constituent un document préparatoire de choix. Le cliché de la maison a été pris quatre mois avant l'agression. Les volets de la fenêtre donnant sur la rue sont ouverts ; on distingue très nettement les rideaux de dentelle qui soustraient la pièce aux regards et il est facile d'apprécier la dimension des vitres. On remarque aussi, à gauche de la porte, une étroite ouverture tout en longueur située à environ un mètre quatre-vingt du sol. Le reste de la maison est dissimulé par l'arbre et la caravane que le voisin a installée dans son jardin.

Pour l'arrière du pavillon, les cartes aériennes du lotissement et de ses alentours mises en ligne par Google

Earth représentent également des données précieuses. Elles ont presque la même précision que celles dont disposent les pilotes de chasse avant leurs bombardements ciblés. Lorsqu'on les examine, un détail saute aux yeux : à l'arrière de la maison et des trois autres pavillons alignés au fond du cul-de-sac, s'étend un grand bois, vestige sans doute d'une ancienne propriété, château ou vieille demeure bourgeoise. Ces taillis sont épais. Comme dans les massifs du jardin de la victime, on doit pouvoir aisément s'y cacher ou s'y enfuir. D'ailleurs certains (pas seulement des habitants du quartier, des policiers aussi) n'ont pas manqué de conjecturer : « Si ça se trouve, ils sont venus par là. »

Ils. Alors que tout le monde était d'accord pour proclamer que l'agresseur avait agi en solitaire. L'épouvante fut telle, devant la nature des faits, qu'on le dota spontanément d'une violence décuplée. Ce pluriel qui s'invita dans les conversations traduisit le fantasme qui habita à ce moment-là tous les esprits, celui d'un commando malfaisant et sans visage occupé à marauder dans la ville, le RER, le train, les agglomérations voisines, grande, petite couronne, Paris peut-être, au bout de l'autoroute, à vingt-cinq kilomètres de là. *Ils* étaient partout. *Ils* étaient venus ici, *ils* repasseraient par-là, hydre multiforme et anonyme n'aspirant qu'à s'en prendre aux êtres fragiles, isolés, désarmés, innocents.

Mais ce sombre, redoutable et fantasmagorique « ils » qui peupla les conversations aussitôt après l'agression s'accommoda parfaitement d'une spéculation, pour le coup, des plus rationnelles : la victime avait été repérée. « Ils » se transforma alors en « on ». *On* l'avait suivie, *on* l'avait espionnée. Rien de plus facile : il suffit qu'*on* se poste au bout de l'impasse, à moins de cinquante mètres de sa maison, tout près de la clôture du Décathlon.

Seulement pourquoi elle, et pas l'un quelconque de ses voisins ? Si on en voulait à ses biens, leurs opulents pavillons semblent des proies bien plus attirantes.

Banalement, c'est sa solitude qui aura fragilisé la victime. Sa discrétion, son air « enfermé dans son monde », pour parler comme l'homme aux chiens. Et son âge.

Soixante-dix-neuf ans. Mobilité intacte, autonomie totale. Elle conduit toujours. Elle aime la marche. Parfaite santé.

Sur une photo de groupe prise cinq mois et demi avant les faits, cela saute aux yeux. Une femme d'âge, sans doute, mais pas une petite vieille. Cheveux blancs, oui, pas très grande. Cependant le dos droit. Et des mollets solides, une taille encore marquée, une mise soignée. Rien que sa coupe de cheveux : un carré à frange qui souligne l'intensité de son regard.

Un membre de la famille, néanmoins, dit s'être inquiété de la voir vivre seule dans ce pavillon. Ce n'est pas sa situation au fond de ce cul-de-sac qui l'avait alarmé, ni la proximité du bois. Ni même, à un kilomètre et demi de chez elle, là où finit cette petite enclave forestière, la présence d'une cité dite « sensible ». Il n'était pas non plus tracassé par l'état de ce lotissement dont la construction remontait aux années 1960 et qui ne rappelait en rien l'ordinaire des zones pavillonnaires. Les maisons, presque toutes différentes, avaient assez bien vieilli ; leurs propriétaires avaient eu à cœur de les entretenir, voire de les restaurer. On les comprend. Avec leur architecture inspirée des pavillons noyés dans la nature imaginés par l'Américain Frank Lloyd Wright avant la Seconde Guerre mondiale – larges toits en pente douce, vitrages donnant sur la végétation alentour –, le lotissement ne manque pas de charme ni d'originalité.

Son environnement initial, en revanche, a été chamboulé de fond en comble. Quand les jeunes cadres des Trente Glorieuses attirés par cette petite ville en lisière de la Beauce avaient découvert le chantier de ce programme immobilier tout juste ouvert au nord de la commune, son panorama les séduisit : verdure à foison, vestiges de forêts, champs à perte de vue et même quelques fermes – on pouvait encore y acheter du lait et des œufs frais. Vingt ans plus tard, une noria d'excavatrices et de bulldozers défonça soudain ce paysage : on construisait une rocade destinée à relier toutes les agglomérations de la grande couronne, la « Francilienne » comme on la baptisa. Puis la rocade elle-même, sitôt goudronnée, fut étouffée sous un corset de bâtiments commerciaux ou industriels, stations d'essence, fast-foods, hôtels bas de gamme, petits immeubles de bureaux, hangars, certains monumentaux, à l'image de l'entrepôt qui prolonge le magasin Décathlon. Des champs et d'ultimes futaies réchappèrent du massacre mais il était trop tard. Naguère ouvert sur l'utopie du bonheur à la campagne, le lotissement se retrouva encerclé par la civilisation de la route, du camion, du passage, de la consommation à tout-va.

Une zone de confins, ni ville, ni campagne, ni rien. La métamorphose fut d'autant plus pernicieuse qu'elle accompagna le vieillissement lui-même insensible de ses premiers occupants.

L'homme qui s'inquiéta de voir sa parente s'obstiner à vivre dans sa maison de l'impasse en resta à la perception floue d'un danger en puissance, une impression voisine de celle qu'on éprouve quand on soupçonne qu'un poêle tire mal : ne faudrait-il pas en changer avant de risquer l'asphyxie ? Il avait saisi que les liens du quartier avec la ville et ses environs étaient de plus en plus distendus, laborieux. Pas un commerce dans les parages. Ni un café. Impossible de s'en sortir sans voiture ; et un plan de circulation compliqué, quelle que soit la direction qu'on prenne, celle du rond-point situé en contrebas du Décathlon ou l'avenue qui mène au centre-ville. Enfin beaucoup d'impasses, y compris dans les lotissements limitrophes, innervés comme celui-là de rues, ruelles, petites ramifications goudronnées qui se terminent en cul-de-sac. Une bonne trentaine.

L'homme rappela sa parente pour lui conseiller de vendre sa maison et de s'installer dans un appartement du centre-ville. Ça ne changerait presque rien à ses habitudes, argua-t-il. Elle ne se déplacerait que de deux kilomètres.

Elle lui raccrocha au nez. Elle était ainsi quand une idée lui déplaisait ou lorsqu'elle jugeait qu'on voulait diriger sa vie. Et elle s'arrima plus solidement encore à cette maison, à cette impasse que remontait le bourdon ininterrompu de la rocade dès qu'il y avait du vent.

Pas de vent ce samedi-là. Tout est calme dans l'impasse. Comme la végétation du jardin et du bois, à l'arrière de la maison, a vaillamment résisté à la canicule, on peut s'imaginer qu'ici, rien n'a changé depuis les années 1960, même sérénité, mêmes dehors bucoliques.

Puisque le rapport d'enquête n'est toujours pas remis au tribunal, on en est réduit à dévider indéfiniment des conjectures sur l'emploi du temps de la victime dans les heures qui précèdent l'agression – en dehors, bien sûr, de la confection des sachets de lavande. Tablons sur une journée banale. À supposer qu'elle écoute les nouvelles à son réveil, elle n'apprend rien de flambant. Si elle l'a entendue, l'annonce claironnée par la jubilante météo-girl de BFM TV – « L'été n'a pas dit son dernier mot, l'anticyclone des Açores va durablement s'installer, les valeurs seront en hausse, il fera jusqu'à trente degrés dans le courant de la semaine » – n'a pas pu la surprendre. L'été a été très sec ; elle en a la preuve sous les yeux avec sa pelouse-paillasson.

Les media, d'ailleurs, ces dernières semaines, l'ont seriné : les nappes phréatiques sont très basses et partout les glaciers fondent. Une partie de l'opinion ne s'y trompe pas, on organise ce samedi-là une marche pour le climat. On lui promet un grand succès.

Cette information-là lui a peut-être fait dresser l'oreille. Dans sa jeunesse, elle n'a cessé d'entendre son père pester que le temps n'était plus ce qu'il était et que tout ça finirait mal.

Pour le reste, le monde va son cours ordinaire. Un séisme au Japon, une quarantaine de morts, Trump qui s'est fendu d'un nouveau tweet, une tentative d'assassinat contre le candidat populiste à la présidence du Brésil, Mélenchon qui s'en est pris à Macron et inversement, un petit rebondissement dans l'affaire Maëlys, un autre dans la succession houleuse de Johnny Hallyday, un troisième dans la disparition d'Estelle Mouzin, des frappes russes en Syrie, les suites d'un attentat antisémite en Saxe, match nul entre la France et l'Allemagne à l'issue de la Ligue des nations, Nadal blessé au genou droit lors de l'US Open de tennis. Rien qui puisse la détourner de la confection de ses sachets de lavande. Pour en être sûr, évidemment, il faudrait connaître les rêves, les espoirs, qui l'habitaient en cette fin d'été. À moins d'être de ses intimes, difficile de s'en faire une idée. Et encore. Chacun, après tout, a sa part de petits et grands secrets, même pour ses proches, et comme l'a déclaré l'homme aux chiens : « Elle vivait dans son monde et ça se voyait, qu'elle avait un grand quant-à-soi. Alors les jours où on se rencontrait quand elle faisait sa marche autour du lac et moi, mon jogging, bonjour-bonsoir, ça s'arrêtait là. Elle était vraiment fermée. »

Si ça se trouve, ce samedi, elle est allée marcher autour du lac. Si ça se trouve aussi, le voisin a fait son jogging à la même heure qu'elle et ils se sont croisés.

Ailleurs, pas certain qu'on l'ait vue. À ce qui s'est dit, elle faisait ses courses en semaine, elle n'aimait guère la foule ni l'affluence du week-end. Donc (toujours à supposer que l'agression a bien eu lieu en fin de journée) elle a dû passer ses dernières heures loin du regain d'animation qui saisit la ville le samedi, surtout à la rentrée. Pas moins de trois centres commerciaux dans les environs, dont une énorme « zone d'activités » de soixante-dix hectares ; sans compter les inévitables Jardiland, Speedy, Norauto, Autoshopping, But, Leroy Merlin et autres Bricorama implantés à la lisière de la ville et le long de la rocade. Aucune manifestation festive ne saurait contrarier la fièvre acheteuse qui s'empare début septembre d'une partie des habitants, à l'exception d'un événement censé renforcer ce que les politiques de tout bord célèbrent sous l'appellation « lien social » : un « Forum des associations » qui rassemble rituellement à cette date les responsables des groupes, plus de deux cents, qui ont fleuri dans la commune ces dernières années – amateurs de musique, de pêche, de pétanque, comme partout, de foot, gym, moto, arts martiaux, Scrabble, philatélie, échecs, randonnée pédestre, anciens combattants, soutien aux malades et aux handicapés mais aussi, plus singuliers, fans de drones, vieux solex, potagers collectifs, arts du cirque, éducation des chiens, jusqu'à une surprenante « Association des femmes parfaites de Côte d'Ivoire et d'ailleurs ».

La prolifération de ces mini-communautés en quête d'affinités traduit-elle un malaise diffus ? Faut-il y voir le symptôme de la vie de plus en plus cloisonnée que mènent les habitants de cette ville ? Les anciens grommellent qu'avec l'arrivée du RER et de la Francilienne elle s'est transformée en cité-dortoir. C'est possible, mais cette sensation d'isolement croissant ne semble pas avoir affecté la vieille dame de l'impasse. Jusqu'à plus ample informé, elle n'appartenait à aucune association. Sa famille proche, son monde intérieur devaient lui suffire.

En ce deuxième week-end de septembre, le maire – un quadragénaire d'apparence efficace, attentif, très présent – a de quoi se réjouir. Les vacances ont été calmes, la rentrée scolaire s'est bien passée, la reconversion d'une partie de la vieille base aérienne en site de tournages – le « Hollywood français », comme on vient de le baptiser – est en marche. Polanski va y tourner son *J'accuse*, Valérie Lemercier son biopic sur Céline Dion. Et Amazon, ça aussi, c'est acquis, installera à la lisière de la ville un entrepôt encore plus gigantesque que celui du Décathlon. Mille emplois prévus, voire deux mille, dont des CDI avec priorité au recrutement local.

L'optimisme règne aussi aux caisses du Décathlon, en cette fin de journée, quand à deux pas de là, peut-être, derrière la clôture qui sépare le magasin de l'impasse, *ils* commencent à guetter la maison de la vieille dame. On ne battra pas le record du samedi précédent, veille de la rentrée scolaire, où les ventes sont traditionnellement excellentes ; il faut équiper les enfants, toute la région accourt. Mais « la réserve de clientèle » (pour parler comme les responsables marketing de la marque) reste forte : ceux qui, au retour des vacances, bronzés et amincis, se promettent que maintenant, juré-craché, ils vont se mettre au sport. « Le beau temps joue », assurent aussi les vendeurs du magasin. Le chiffre d'affaires ne va pas beaucoup baisser.

Au cinéma multiplex inauguré la veille à l'autre bout de la commune, la direction est plus tendue, mais reste confiante. Côté spectacles, ce samedi soir, guère de concurrence. La salle de concert très courue qui s'est ouverte il y a quelques années entre la voie ferrée et la mosquée ne rouvrira pas avant trois semaines ; et les actionnaires du complexe ont tout misé sur la technologie de pointe, que le cinéma du centre-ville, un beau bâtiment des années 1930, n'a pas les moyens de se payer. « Projecteurs laser 2K, définition parfaite, réalisme inégalé, immersion totale dans le film », a proclamé la directrice de la communication du nouveau multiplex lorsqu'elle a rencontré les journalistes locaux. Ça l'a dispensée du même coup d'annoncer les titres à l'affiche. Elle a eu raison : personne ne le lui a demandé et la presse s'est bornée à répercuter ses trois autres arguments de vente :

pour les familles, organisation d'après-midi « Magic », dessins animés et films inspirés des mangas japonais ; « Soirées Filles » – contenu non précisé ; et bien sûr « Horror Nights », des projections en avant-première de ces films d'horreur dont les adolescents raffolent – femmes enceintes s'abstenir.

Les amateurs de frissons, ce soir-là, s'ils sont casaniers ou que leur budget ne leur permet pas de consacrer dix euros à une place de cinéma, auront quand même leur content de chair de poule : la télé propose des dizaines de séries, films et téléfilms policiers jalonnés de meurtres, crimes, atrocités, forfaits les plus divers, des plus popotes et bien de chez nous que produit France 3 jusqu'aux anxiogènes et planétaires *NCIS : Los Angeles*, *Vengeance*, *Force of Execution*, *A Killer Upstairs*, certains peuplés de magnifiques psychopathes. Et pour ceux qui préfèrent la réalité à la fiction, quatre heures de « Chroniques criminelles » sur M6, un plein charroi d'assassinats authentiques, de pervers démasqués, de Mal, de sang.

D'autres choisiront de dîner entre amis. Voire de sortir en boîte – les discothèques ne manquent pas dans la région. Ou ils s'offriront une virée à Paris, assisteront à un concert, une pièce de théâtre. Mais comme beaucoup y travaillent et font quotidiennement l'aller-et-retour, ils ne doivent pas être nombreux à reprendre le RER ou l'autoroute pour s'évader.

En somme, dans la ville, ce samedi-là, la routine fait parfaitement son métier de routine, et la banalité son métier de banalité. Le pire peut arriver, comme partout : comment prévoir ce dont *ils* sont capables ? Les chiffres, cependant, restent rassurants. On tue peu en France : un habitant pour quatre-vingt mille ; l'an passé, dans le département, le nombre d'homicides a encore baissé. Quant à la commune, son taux de délinquance est à peine plus élevé que la moyenne nationale.

Une banlieue tranquille ou presque. Pas de commissariat, un simple poste de police qui ferme à dix-sept heures. Il ne fonctionne pas le week-end. Mais celui de la commune voisine, comme les soirs de semaine, assure la veille.

On ignore ce que la victime projetait de faire ce soir-là. Poursuivre la confection de ses sachets parfumés ? Se plonger dans un livre ? Possible. Dans sa jeunesse, elle avait beaucoup lu et elle était très cultivée. S'asseoir devant son ordinateur et classer ses photos ? Pas impossible non plus. Toujours d'après son fils, c'était un de ses passe-temps préférés avec le tricot, qu'elle avait enseigné à ses petites-filles.

Elle a pu aussi, comme tant d'autres, s'installer devant son téléviseur pour regarder un programme culturel. « Saint Gothard, route des pionniers » sur Arte, par exemple, ou « La Loire des jardins » sur la Cinq ; ça aurait pu l'intéresser.

Ou, pourquoi pas, une chronique criminelle. Les études d'audience révèlent que leur public est extrêmement large et varié, même si certains répugnent à avouer qu'ils les suivent régulièrement.

Reçoit-elle des coups de fil, en donne-t-elle ? Là encore, comment savoir sans le fameux rapport que la police n'a pas remis au tribunal ? Seule certitude : ce qu'elle projette de faire le lendemain matin. Comme chaque dimanche, elle assistera à l'office de l'Église évangélique. Le temple est tout proche : sept minutes en voiture, une vingtaine à pied. Elle y retrouvera son fils, sa belle-fille et ses petits-enfants. Enfin elle doit penser à fermer ses volets avant la nuit.

Le soleil se couche ce soir-là à 20 h 19.

Les récits du maire, du journaliste et de l'homme aux chiens concordent : le corps inanimé de la victime a été découvert le lendemain en fin de matinée par son fils, qui s'est alarmé de ne pas la voir paraître à l'office de dix heures trente.

Le journaliste qui a couvert l'affaire la relate dans un article paru le mardi suivant sous le titre : « Une retraitée dans le coma, la piste du cambriolage envisagée ». Il tient ses informations, dit-il, d'une « source proche du dossier », autrement dit, un policier. Celui-ci, à l'évidence, n'a pas été très bavard. Les battants d'une fenêtre étaient ouverts, se borne-t-il à écrire, les lieux avaient été fouillés, le désordre de la maison était indescriptible. Des assiettes et de nombreux objets avaient été fracassés, ils jonchaient le sol ; des taches de sang avaient été relevées. De l'avis du fils, *a priori*, on n'avait rien volé. La victime avait été retrouvée allongée dans une pièce. « La victime présente de nombreuses traces de coups sur tout le corps. Plus d'une dizaine d'hématomes et d'ecchymoses ont été recensés », écrivait le journaliste. « Mais c'est un traumatisme crânien qui l'a plongée dans le coma. » Selon lui, les enquêteurs excluaient l'hypothèse d'un malaise ; l'agression ou le cambriolage étaient les seules pistes envisageables.

Pour être discret, son informateur n'avait pas minimisé les violences subies par la vieille dame. Il avait communiqué le diagnostic des secours dépêchés sur place : « Elle a été visiblement tabassée et laissée pour morte. Aucune chute, même dans des escaliers, ne saurait expliquer de telles blessures. »

Lorsqu'on lisait l'article attentivement, le choc éprouvé par les policiers au vu du corps était perceptible. Un an plus tard, du reste, le journaliste lâcha que sa source lui avait confié : « C'était pas beau à voir. »

Cet effroi avait dû le gagner quand il s'était rendu sur place et avait photographié la maison avant d'interroger les voisins. Bien que l'affaire fût déjà ancienne, il interrompit son récit, marqua un petit silence et marmonna, visiblement ému : « Elle a été massacrée. »

À la fin de son article, il mentionne aussi que la victime – « la retraitée », comme il l'appelle, ou « la septuagénaire » – avait été hospitalisée à Paris.

Il a pris de ses nouvelles : il signale qu'à quarante-huit heures de l'agression, le pronostic vital est toujours engagé et qu'elle n'a pas encore pu prononcer une seule phrase qui puisse, comme il l'écrit, « éclaircir complètement le drame qui s'est noué durant le week-end ». Il grille manifestement de connaître le fin mot de l'histoire, il ajoute : « Des relevés ont été réalisés sur de nombreux objets de la scène. Les analyses sont en cours et les résultats sont attendus dans les prochains jours. »

Il a aussi interviewé le maire. Celui-ci a dû venir sur place quand il a été mis au fait de l'agression : l'édile, d'après lui, a parlé au fils de la vieille dame et l'a assuré de son entier soutien.

Ces déclarations ne sont pas celles d'un politique, mais d'un homme bouleversé. Peut-être a-t-il entraperçu la scène de crime, à moins qu'il ait été renseigné par les policiers, « Oui, c'était *Orange mécanique* », conviendra-t-il plus tard. Deux jours après le drame, en tout cas, quand le journaliste l'a appelé, il était toujours sous le choc : « Ce qui est encore plus triste, lui déclara-t-il sans se faire prier, c'est qu'on ne sait pas combien d'heures la victime est restée au sol avant d'être secourue. »

Le journaliste ne dit pas où se sont déroulés les faits. Il se borne à parler d'une « petite impasse ». Mais il prend une photo de la façade de la maison côté rue. On remarque des scellés plastifiés de couleur rouge sur la porte d'entrée, le garage et la fenêtre haut placée qui les sépare : sans autorisation expresse, l'accès au pavillon est désormais interdit.

Pour mieux signifier au lecteur que cette affaire est loin d'être anodine, il publie un cliché en gros plan de la porte d'entrée. Sur la bande du scellé, on distingue assez nettement le sigle *RF* – République française –, suivi de la mention *Police nationale – Scellés – Ne pas ouvrir*.

Au-dessus de la maison, le ciel est limpide. Pas un nuage. Les prévisionnistes qui avaient renseigné la météo-girl de BFM TV le samedi précédent ne se sont pas trompés. En ce début de semaine, il fait beau, quoique un peu moins chaud. Mais on annonce trente degrés pour les deux jours suivants, et après quelques pluies, un nouveau week-end de rêve.

Encore une fois, le pronostic se révèle exact. Le samedi d'après, on peut à nouveau organiser des barbecues dans les quartiers pavillonnaires de la ville et entretenir son bronzage pendant son running autour du lac. Magnifiques, les progrès accomplis depuis vingt ans par les ingénieurs en météorologie. En matière de police prédictive, les techniques de recoupements qui ont inspiré le film *Minority Report* se sont aussi affinées. Des logiciels de géolocalisation de zones criminogènes potentielles ont été mis au point mais ils restent sommaires et ne sont guère utilisés, sauf si l'on soupçonne qu'on a affaire à un serial killer.

Le jour où paraît l'article, le maire de la ville publie sur la page Facebook de la commune une liste de ce qu'il nomme des « recommandations indispensables ». Il s'agit d'un document classique de la police nationale à l'usage des personnes isolées ou rendues vulnérables du fait de leur âge.

Ce post suscite presque immédiatement cent quarante-cinq partages. Dans la ville, manifestement, la nouvelle de l'agression n'est pas passée inaperçue.

Les commentaires, en revanche, ne sont pas légion – du moins au regard des partages : soixante-quinze seulement. Comme il s'agit d'une page institutionnelle, la plupart des internautes profitent de l'occasion pour y aller de leur récrimination, grande ou petite, générale ou particulière : les dealers qui pullulent autour de la gare, la faiblesse des effectifs de la police, la fermeture du commissariat le week-end, les vols de portable restés impunis, les voitures vandalisées voire brûlées aux alentours du quartier sensible, l'augmentation des impôts locaux, les contraventions, les chiens empoisonnés pendant l'été, l'absence de caméras vidéo pour surveiller les rues.

Un seul internaute se préoccupe de la santé de la victime – « J'espère qu'elle va s'en sortir ». Un commentaire mentionne aussi que plusieurs autres vieilles personnes ont été récemment « violentées ».

Il a sûrement raison : le maire a ouvert son post sur les mots : « Suite à des faits de cambriolages et d'agressions de personnes âgées ». Un pluriel : il y a donc eu des antécédents. Où, quand ? Qui a été agressé ? Homme, femme ?

On peut compulser tant qu'on veut les journaux des mois précédents, la question reste sans réponse, et quelques semaines après le drame, nul n'aborde le sujet lors des « Assises de la ville » prévues de longue date par le maire – une série de dix réunions publiques où, un mois avant l'émergence des « gilets jaunes », les habitants de la commune sont invités à exprimer leurs doléances et leurs souhaits. Ils s'y plaignent de la multiplication des agressions mais toujours sur le mode de l'allusion. Dans ces phrases timides et vagues, impossible de démêler s'ils évoquent ces vieilles personnes mises à mal ou un vol de portable, une voiture vandalisée, une dispute avec son voisin.

Dans la presse, à la fin du mois d'octobre, pas un mot quand la vieille dame rend l'âme dans l'hôpital parisien où elle a été transportée. Et pour cause : cette fois, le journaliste qui a rédigé l'article sur le drame de l'impasse n'a pas été prévenu. L'affaire, pourtant, était sérieuse. Selon son fils, les services de police y ont affecté sept fonctionnaires. Le parquet a ordonné une autopsie de la victime, une enquête préliminaire a été ouverte pour vol avec effraction, agression, coups et blessures ayant entraîné la mort et même séquestration puisque la malheureuse, toujours d'après son fils, a été retrouvée enfermée de l'extérieur dans sa chambre. Mais les autorités ont fait le choix du silence. Elles ont tablé que la vie, depuis sept semaines, a eu largement le temps d'exiger sa place et qu'après quelques soubresauts d'émotion, elle a repris son cours routinier.

Le pari n'était pas si risqué. La victime, discrète, âgée, repliée dans sa maison des confins, était une invisible.

Une fois l'autopsie réalisée et le permis d'inhumer délivré, la famille fixe les obsèques au 2 novembre en début d'après-midi.

Ciel clair mais petit vent humide et frais, un vrai temps de Toussaint. Ou plutôt d'Halloween. L'an passé, des débordements se sont-ils produits quand les jeunes ont voulu célébrer cette version de la Fête des morts importée des États-Unis ? Cette année, la municipalité a pris les choses en mains. L'adjoint en charge des festivités a organisé une magnifique « soirée effrayante » selon le mot employé dans le post publié ce jour-là sur le compte Facebook de la mairie.

Il y en a eu pour tous les goûts, se félicite l'auteur du texte : concours de citrouilles décorées, confection collective de maquillages de zombies, vampires et clowns façon « le Joker », voitures conduites par des squelettes en goguette, *escape game* dans une fausse maison hantée. Comme en témoignent les photos qui illustrent le post, l'ambiance était très bon enfant. Le maire, toujours sur le terrain à se décarcasser pour ses administrés, s'est lui aussi déguisé. Il a même participé au dîner organisé dans la fausse maison hantée, puis posé aux côtés d'une jeune sorcière. On a applaudi. On recommencera l'an prochain.

Quarante-huit heures après, dans les jardins de la ville, le match entre les chrysanthèmes et les citrouilles découpées en têtes de revenants dentus et grimaçants tourne nettement à l'avantage des citrouilles. On ne voit de plantes funéraires que sur les étals des fleuristes et la ville n'en compte plus guère. C'est comme le reste : les hypermarchés qui ceinturent la commune raflent la mise.

Au moment où commencent les obsèques, quatorze heures, le ciel s'éclaircit encore. Au sortir du funérarium, les quelques membres de la famille qui ont tenu à assister à la levée du corps gagnent le temple. D'autres, peu nombreux, sont déjà sur place. Ils se sont mêlés à l'assistance. Beaucoup de monde, environ cent cinquante personnes, des fidèles de l'Église évangélique mais aussi des habitants de la ville. Le maire s'est déplacé, comme pour un hommage public.

Le mot « temple » est flatteur pour la construction grisâtre et sans étage où va se dérouler la cérémonie. Seules une croix et une grande plaque le signalent au passant. En dehors des offices ou, comme aujourd'hui, des cérémonies funéraires, il est soustrait aux regards par des rideaux métalliques ; ils pourraient laisser croire que le bâtiment abrite un garage.

Pas plus d'apparat à l'intérieur. Une simple salle de réunion. Au fond, sur une estrade, un pupitre équipé d'un micro. Au mur, la même croix que sur la façade extérieure. Seule décoration, une dizaine de clichés de la défunte – portraits, photos de jeunesse, de vacances, instantanés pris lors de fêtes familiales. Certains paraissent récents.

Une bonne partie des chaises est déjà occupée. Le maire s'est mêlé aux assistants. Sa mine est grave.

L'officiant, depuis le pupitre, observe la salle et prie la famille de s'installer au premier rang où des sièges sont encore libres. Les deux fils de la victime, leurs enfants et leurs proches prennent place.

D'autres parents, plus éloignés sans doute, restent en retrait ou hésitent, telle cette femme qui porte un long manteau bleu-noir et les deux personnes qui l'escortent, un homme d'une soixantaine d'années vêtu d'un pardessus gris anthracite, ainsi qu'un jeune homme longiligne et diaphane. Ils s'installent au troisième rang mais l'officiant, affable, leur désigne les sièges du premier rang et les encourage à s'y asseoir. Ils se laissent faire.

Le cercueil est là, la cérémonie commence. Elle se résume à des lectures d'extraits des Évangiles entrecoupées de cantiques qu'un jeune musicien accompagne au piano. L'instrument est désaccordé mais l'interprète joue avec conviction ; comme nombre de ces chants sont très connus, les catholiques ou ex-catholiques qui assistent à la cérémonie peuvent les chanter à l'unisson.

Les cantiques sont joyeux, l'officiant a une voix tonique, les textes qu'il lit ne parlent que d'espérance, allégresse, Dieu aimant. Impossible de se laisser aller à penser que le cercueil vient de se refermer sur un corps martyrisé qu'on a tenté d'arracher à la mort à grand renfort de perfusions, tuyauteries, machines de réanimation. S'écoule ainsi, dans l'optimisme et la joie, une petite trentaine de minutes, puis l'officiant invite les membres de la famille qui le souhaitent à prononcer un hommage à la défunte. L'un d'entre eux est assez détaillé. Si son auteur passe rapidement sur l'enfance, il relate son mariage, son itinéraire professionnel et, sur le même ton bonhomme, la maladie dont elle fut atteinte aux alentours de la quarantaine ; des troubles bipolaires sévères, dit-il. De façon surprenante, il évoque des hospitalisations, parle de crises, livre des dates. Enfin, résume-t-il, elle rencontre l'Église évangélique et tout rentre dans l'ordre. D'après lui, ses dernières années furent celles d'une grand-mère heureuse, passionnée de photo, très douée pour les travaux d'aiguille et adorée de ses petits-enfants.

Un peu plus tard, le discours d'une fidèle confirme ce tableau. Il décrit une femme cultivée, attachante, sensible, habitée par la foi et dotée d'un talent créatif certain – à preuve, la jolie peinture que la défunte avait réalisée pour l'offrir à la communauté évangélique. On l'a exposée au milieu des photos. Elle est en effet ravissante.

Cette fidèle, qui semble avoir été proche de la morte, ajoute que sa personnalité n'était pas sans mystères. Ainsi, elle se serait éloignée de l'Église pendant plusieurs années avant de retourner en son sein. L'Église, se réjouit-elle, avait su patienter et lui ouvrit grand les bras.

D'autres témoignages s'enchaînent. Comme les précédents, aucun d'entre eux n'évoque ce qui s'est passé huit semaines plus tôt dans la maison de l'impasse. Les plus émouvants sont ceux des enfants, très attachés à leur grand-mère. Pour le reste, tous ces hommages, qu'ils soient évasifs, lacunaires ou ultra-précis, laissent la même impression que les propos tenus par l'homme aux chiens un an après : la victime était une femme secrète, voire énigmatique. Et ce mystère, nul ne l'a jamais percé.

À la fin du dernier discours, un des fils adresse un signe discret à la femme en manteau bleu-noir, comme pour lui demander : « Vous voulez prendre la parole ? » D'un geste lui-même retenu, celle-ci décline.

Le pasteur, resté en retrait jusque-là, jaillit alors de l'assistance, s'avance d'un pas vigoureux vers le pupitre, se lance dans une longue homélie.

Il passe lui aussi le crime sous silence ; il s'en tient au même message d'espérance que l'officiant. Seul le ton change, péremptoire, enflammé. Un homme d'autorité. Et un bon orateur. Il sait varier ses effets, joue à merveille de sa voix chaude. Ainsi, sans préavis, après un chapelet de paroles consolatrices, il proclame : « Restons dans l'allégresse ! La mort de Denise est inscrite dans le Grand Plan de Dieu ! » Puis il descend dans les graves, et du même poumon large, dresse un panégyrique de la prescience inouïe du Tout-Puissant Organisateur avant de conclure sur une nouvelle ode à la confiance, l'optimisme, la joie.

Un ultime cantique et les assistants sont conviés à accompagner la défunte à sa dernière demeure.

Le cimetière occupe le versant nord d'une petite éminence, un endroit que les gens de la ville nomment souvent « là-haut ». Il est proche, on s'y rend à pied. Une bonne partie de ceux qui ont assisté à l'office suivent le fourgon funéraire.

Le tonus du pasteur est contagieux. Son message a porté, les rythmes joyeux des cantiques aussi ; personne ne peine dans la montée. Chacun est détendu, on sourit, on discute de tout et de rien, on plaisante parfois.

En haut de la pente se découpent bientôt les contours d'une belle église romane. Elle semble là depuis toujours, solidement enracinée dans la terre grasse de la Beauce. Elle aussi rassure, elle aussi apaise.

Le cortège l'ignore, traverse le cimetière, gagne un carré de tombes. Face à la fosse fraîchement cimentée, la petite foule s'agglutine autour du pasteur.

Il entame un nouveau discours. On l'écoute moins attentivement qu'au temple ; certains poursuivent leurs conversations. Une gamine fond en larmes – peut-être l'une des petites-filles de la morte.

Le pasteur s'est tu. On dispose à l'entour de la fosse un monceau de fleurs. Une file d'attente se forme. Pendant un bon quart d'heure, chacun s'incline au-dessus de la tombe béante. Puis le cortège retraverse le cimetière.

Même sérénité qu'à l'aller, mêmes conversations anodines. Au bout de quelques mètres, la femme en manteau bleu-noir s'arrête, se retourne, jette un œil anxieux à la fosse toujours béante.

« Qu'est-ce qui se passe ? » s'inquiète l'homme qui l'accompagne. Elle répond : « Je ne sais pas », et reprend sa route.

À la fin de l'office, on a annoncé que l'inhumation serait suivie d'une collation. Les proches s'y retrouvent, de nombreux fidèles aussi.

Les chaises ont été remisées, on a dressé un buffet. L'atmosphère reste détendue. N'étaient la croix et les photos de la morte, on se croirait dans un local d'entreprise, à fêter un départ à la retraite.

Des petits groupes se forment puis se défont, rejoignent d'autres grappes qui encore une fois s'agrègent et se désagrègent : le mouvement brownien qui se déploie toujours autour des buffets. Certains s'y perdent, comme l'un des fils de la défunte, le plus effacé, dont très vite personne ne sait plus où il est.

Des groupes se collent au buffet, d'autres, verre de cidre ou de vin rouge en main, s'attardent devant les photos de la morte. Mais partout, qu'on se connaisse ou non, des conversations se nouent. Ainsi, entre deux gorgées de cidre, la femme en manteau bleu-noir et son compagnon échangent quelques phrases avec l'un des fils, Tristan.

Elle le questionne sur l'avancée de l'enquête. Elle est prudente, elle pèse ses mots. Naguère, on aurait dit : « Elle marche sur des œufs. »

C'est pourtant bien volontiers que l'homme lui répond :

– Les policiers ont une piste.

Elle hésite à poursuivre. Puis elle se jette à l'eau :

– Un toxico ?

– Non.

Il est formel. Un nouveau moment de flottement et elle s'enhardit :

– Alors quel profil ?

– C'est officieux, on ne peut pas en parler. Mais on a un signalement

– On saura quand ?

– Ça peut être long. Mais ça avance.

À chaque réponse du fils, la femme prend de l'aplomb. Même si elle se sent observée – ou écoutée, car deux ou trois personnes se sont approchées et elle leur jette un coup d'œil méfiant –, elle risque une remarque plus personnelle :

– C'est tellement horrible qu'on a besoin de savoir. Plus vite ça ira, mieux on se sentira.

Il approuve. Puis il se tourne vers le compagnon de son interlocutrice et, d'une voix très déterminée, annonce :

– On va venir vous voir.

– Mais oui, intervient la femme, appelle quand tu veux, ça nous fera plaisir. Comme ça on se connaîtra mieux…

Il ne la laisse pas finir. Il est toujours aussi résolu :

– On viendra en famille. Avec nos enfants.

– Avec joie. Tu as maintenant mon numéro de portable. Tu m'appelles quand tu veux. Ce week-end, la semaine prochaine, quand tu veux, n'hésite surtout pas.

Écoute-t-il ? Il répète :

– On viendra chez toi avec nos enfants.

– Aucun problème. Tu appelles et on se voit. Tu nous tiens au courant, pour l'enquête ?

Il acquiesce en souriant.

– Bien sûr. Et on viendra chez toi.

La femme est maintenant directe, spontanée. Tellement à l'aise qu'à son tour elle lui fait une offre :

– J'ai quantité de photos de ta mère toute petite. Elles sont scannées. Si tu veux, je te les envoie.

Il accepte dans la seconde. Cet empressement à lui répondre doit encore l'encourager car elle enchaîne, soudain volubile :

– J'ai aussi des lettres qui pourraient t'intéresser, celles que tes grands-parents ont échangées avant la naissance de ta mère. Elle t'a certainement dit que ton grand-père était à la guerre quand elle est née. Il ne l'a vue qu'une seule fois en cinq ans. Elle avait trois semaines. Il est retourné se battre, les Allemands l'ont fait prisonnier, il n'est revenu de son stalag que cinq ans plus tard. Tes grands-parents n'ont pas cessé de s'écrire pendant tout ce temps-là, ils parlent souvent de ta mère dans leurs lettres. Je les ai scannées, comme les photos. Si elles t'intéressent, je te les envoie aussi.

Il a l'air ravi de cette offre. Il l'accepte avec chaleur et convient avec elle du meilleur moyen de transmettre ces documents : un lien électronique pour les télécharger.

L'officiant aborde alors la femme. Le fils s'éclipse, rejoint l'un des groupes qui continuent à s'agiter dans la salle, disparaît au cœur du mouvement brownien.

Quelques minutes plus tard, une quadragénaire s'en extrait et, à son tour, aborde la femme :

– Avec Tristan, on va venir te voir. On emmènera nos enfants !

Elle est enthousiaste. Les traits de la femme en bleu-noir s'éclairent encore. Elle n'est plus du tout la même qu'au sortir du cimetière. Elle lui répond la même chose qu'à Tristan :

– Vous venez quand vous voulez. Vous choisissez une date et vous m'appelez.

Les deux femmes s'étreignent. La salle se vide. Les groupes rétrécissent, s'amenuisent, se dissolvent, sur fond de bouts de phrases presque tous identiques : « On y va », « Salut », « On se revoit dimanche ». Les deux fils de la morte et leurs enfants s'embrassent. Si c'est la comédie des apparences, elle est très bien jouée.

La femme en manteau bleu-noir, elle, cherche le jeune homme longiligne et diaphane qui l'escortait à son arrivée. Quand elle l'a retrouvé devant le buffet, à se gaver de cornichons et de pâté de campagne, elle l'emmène vers son compagnon puis soupire, exténuée ou soulagée, peut-être les deux à la fois :

– Je crois que c'est le moment de partir.

Trois jours plus tard, par mail, elle transmet au fils de la défunte les documents promis.

Ces documents n'ont jamais été téléchargés par le destinataire. Et la visite que le fils de la victime appelait si ardemment de ses vœux n'a jamais eu lieu. De lui, la femme en manteau bleu-noir n'a reçu d'autre signe qu'un de ces faire-part de remerciements qu'on se sent tenu d'adresser à ceux qui, selon l'expression consacrée, ont témoigné leur sympathie aux membres de la famille lors de la disparition de l'être cher. Il lui fut envoyé par courriel, assorti de la seule formule : « Cordialement ».

Comment l'auteur de ces lignes est-il au fait de cette information ? C'est très simple. Je suis la femme en manteau bleu-noir. Et la victime de l'impasse, c'est ma sœur.

Sœur aînée. Sans mon père, et sans elle, Denise, je ne serais pas devant cet écran à écrire ce livre. J'ignore ce que je serais devenue, mais je suis convaincue que mon parcours aurait été différent et, à coup sûr, beaucoup plus difficile.

Jusqu'à présent, cette sœur, quand elle apparut dans mes récits autobiographiques, ce fut dans une sorte de demi-jour, à touches légères, discrètes, en raison de la maladie si précisément décrite, datée et nommée dans l'un des discours prononcés lors des obsèques par des membres de ma famille. De ce mal, je n'ai jamais parlé ; et je n'en parlerais pas aujourd'hui s'il n'en avait pas été question publiquement. Je n'évoquerais pas non plus la façon dont j'ai appris le drame plus de sept semaines après qu'il s'est produit, un matin à mon réveil, à la fin d'une nuit si douce que, pour profiter encore un peu de ses bienfaits, j'avais tardé à consulter ma boîte mail.

Dès que j'ai découvert l'objet de ce courriel – le prénom de ma sœur, suivi de son nom de jeune fille, en somme un état civil –, j'ai compris que Denise était morte. Puis j'ai lu les six lignes factuelles où son expéditeur, Tristan, résumait l'agression et les semaines qu'elle avait passées à l'hôpital et je me suis entendue murmurer : « C'est horrible, heureusement que mes parents n'ont pas vu ça », avant d'éloigner de moi, le plus loin que j'ai pu, en le tenant à bout de bras, l'écran de ce portable où s'affichait la nouvelle. À croire qu'il était éclaboussé du sang du meurtre ;

et que j'avais déjà compris que ce sang, pour nous, les vivants, ou plutôt les survivants, serait un venin.

C'est ainsi, le bras tendu à l'extrême, comme pendant les exercices d'étirement qu'on pratique en cours de gymnastique ou de yoga, que j'ai rejoint la pièce où se trouvait mon mari, et je lui ai dit, sans changer de voix, je crois, j'étais calme, mon émotion s'était tout entière ramassée dans la tension de mes muscles : « Lis. »

Je tenais aussi l'écran du portable à bonne distance de lui, je ne voulais pas qu'il s'en approche.

Il n'a pas compris. Il s'est emparé du téléphone, a déchiffré à son tour le message puis il a eu les mêmes mots que moi : « C'est horrible. »

J'ai alors regardé l'heure, huit heures moins dix ; et comme j'avais remarqué, sous la signature de Tristan, un numéro de portable, j'ai murmuré : « Je vais attendre neuf heures pour l'appeler. »

À neuf heures pile, je le joins. Il est distant mais répond sans difficulté aux quelques questions que je lui pose. Il va même plus loin, ajoute spontanément des détails.

Il me parle des sachets de lavande retrouvés dans la cuisine de sa mère, par exemple, affirme qu'il n'y avait rien à voler chez elle, qu'on a découvert du sang dans son garage – « des taches », dit-il ; on me dira plus tard

« des flaques ». Il ajoute que l'agresseur, après l'avoir assommée, l'a enfermée dans sa chambre avant de filer.

Il souligne aussi qu'elle était en parfaite santé ; et, comme plus tard au temple, que ses troubles avaient cessé du jour où elle était entrée à l'Église évangélique.

Je forme quelques phrases de soutien. Il me répond qu'il me fera part en temps utile de la date de l'enterrement. « La cérémonie sera retardée par l'autopsie », précise-t-il.

Il est toujours aussi distant. Je n'insiste pas. Je le connais à peine, il faut dire.

Je me dis aussi : « C'est lui qui a découvert le corps, il est encore sous le choc. Sans compter les sept semaines que sa mère a passées entre la vie et la mort. »

Quand il a raccroché, je consulte Internet. Il suffit que je croise la date de l'agression avec le nom de la ville où vivait ma sœur pour tomber sur l'article du journaliste qui a couvert l'affaire.

Puis je relis le courriel où j'ai appris le drame et je m'aperçois qu'il est assorti d'une série de messages échangés les jours précédents par des membres de ma famille. Certains d'entre eux remontent à trois semaines. Alors seulement je réalise que, du meurtre de Denise, j'ai été la dernière avertie. Quelqu'un a même envisagé de ne me prévenir qu'à la veille des obsèques *via* un faire-part.

C'est ce qui m'a rendue si réservée et prudente le jour de l'enterrement, jusqu'à ce que Tristan m'annonce tout à trac qu'il voulait venir avec sa femme et ses enfants. « On va pouvoir porter ensemble cette histoire atroce », ai-je aussitôt imaginé. « On va faire deuil commun, se découvrir les uns les autres, se serrer les coudes. Après tout, d'un mal peut sortir un bien. Celui-là ne sera pas de trop avec ce qui vient d'arriver. »

Quand j'y repense, elle me consterne, la femme que je fus ce jour-là. Pourtant le matin où j'avais appris le meurtre, j'avais eu le réflexe d'éloigner de mon visage l'écran du portable où s'était affiché son récit. Mais j'avais sous-estimé la toxicité du sang versé. Tels ces décapants ultra-puissants qu'on relègue en haut des placards, un crime, dans une famille – quel qu'en soit l'auteur, rôdeur, familier de la mort violente, assassin retors, meurtrier d'occasion –, met immanquablement à nu les ressorts les plus archaïques de la tribu, les pires comme les meilleurs.

Ici, comme chaque fois qu'un événement douloureux ou tragique s'était passé dans ma famille, ce fut le rejet, le silence.

Le soir où le délai de téléchargement expire, je crois à une erreur. La mienne. Je me suis sûrement trompée.

Je vérifie. Tout est en règle. J'ai envoyé les bons fichiers à la bonne adresse. J'ai assorti le téléchargement de quelques brefs mots d'affection, en accord, me semble-t-il, avec les circonstances et le début de lien qui s'est tissé entre Tristan et moi le jour des obsèques. Le service de transmission électronique, cependant, ne m'a pas confirmé que leur destinataire les avait téléchargés.

Peut-être cet homme que je connais si peu s'est-il effondré après l'enterrement. Peut-être va-t-il très mal ; peut-être lui font-elles horreur, ces lettres échangées naguère entre ses grands-parents, ces photos de sa mère toute petite.

Ou il se force à oublier le drame pour épargner sa femme et ses enfants – cela aussi, c'est plausible. Aux lendemains de la cérémonie, il a également pu se dire qu'il s'en fiche éperdument, de l'expéditeur de ces documents, cette tante qu'il connaît à peine.

Ou alors ce sont ses amis de l'Église évangélique qui lui ont répété, comme au temple le jour des obsèques : « Avance, tourne le dos au passé, la mort de ta mère est inscrite dans le Grand Plan de Dieu, elle vit maintenant au plus près du Seigneur, réjouis-toi, laisse tomber le reste. » Je vois très bien le pasteur dans ce rôle.

À ce moment-là, où je me perds en conjectures, le temps se dilate. La vie a repris son cours, je vis normalement, comme on dit toujours en pareil cas. Mais à la première occasion, je fantasme sur le meurtre. Qui a pu tuer ma sœur, pourquoi, à quelle heure au juste, à quoi ressemblait le meurtrier, comment s'est-elle retrouvée enfermée dans sa chambre, quand a-t-elle perdu conscience, quelles visions l'ont habitée lorsqu'elle est sortie du coma, qu'elle n'a pu confier à personne puisqu'elle était aphasique à son réveil ?

C'est vain et c'est malsain. Je préfère m'abandonner au flux des souvenirs.

Eux, ils surgissent à l'improviste et en désordre, tels les soldats d'une armée en déroute, tantôt en solitaires, tantôt en longs chapelets. Puis ils s'évanouissent et la vie dite normale reprend son cours, jusqu'à ce que déferle une nouvelle marée de questions : si on coince le coupable, qui m'en avertira ? Son fils Manuel ? Il appartient lui aussi à l'Église évangélique ; même s'il est d'un abord plus facile, il n'a pas été bavard quand je l'ai appelé après l'annonce du drame. Et tout juste si je l'ai aperçu pendant la collation qui a suivi l'enterrement.

Les autres membres de ma famille, alors ? Sûrement pas, puisqu'ils ne m'ont prévenue, ni de l'agression de ma sœur, ni de son hospitalisation. Bien sûr, je pourrais joindre les policiers en charge de l'affaire. Mais comment ? J'ignore leurs noms et jusqu'à l'endroit où ils travaillent. Ils ont de toute façon d'autres chats à fouetter, à commencer par leur enquête ; à supposer que je les retrouve, ils me renverront aussitôt vers Tristan ou Manuel.

Je rumine, je remâche, je n'en sors plus. Un matin, un souvenir incongru s'invite dans ce ressassement sans fin. Rien à voir avec ma sœur : c'est une séquence de la superproduction américaine *La Terre des pharaons*, découverte l'année de mes dix ans à Lorient dans la salle miteuse du « Cinéma éducateur », une association qui, chaque jeudi, organisait des projections à des prix défiant toute concurrence.

Pour être exacte, il s'agit plutôt d'une image, et je l'ai sans doute recomposée. À l'intérieur d'une pyramide, un homme – un prêtre, je pense – remonte un corridor qui conduit à la chambre funéraire d'un pharaon quand il s'aperçoit que des filets de sable s'écoulent d'un linteau. Il n'a pas le temps de s'alarmer : l'instant d'après, il voit tomber du plafond une herse de pierres ajustées au millimètre. Il découvre alors que le corridor est irrémédiablement condamné. Il ne pourra pas revenir en arrière, il est emmuré à jamais dans la pyramide-tombeau.

Je me dis : « C'est exactement ce que je vis. On m'a emmurée dans le silence. » Et me reviennent aussitôt les mots qu'eut la veille un ami à qui je venais de raconter le peu que je savais du meurtre : « Ce n'est pas rien, ce que tu vis. Comme disent les Irlandais, le sang des proches n'est pas de l'eau. »

L'écho de ses phrases me ranime. L'instant d'après, je vois comment je peux m'échapper : un juge, à coup sûr, a commencé à instruire ce crime. Un dossier existe, que je peux consulter. J'y ai sûrement accès, la victime et moi sommes sœurs.

Dès le lendemain, je prends conseil. En effet, je ne suis pas emmurée. Ma famille m'oppose une falaise de silence mais je peux pousser la porte de la justice et m'engager dans le couloir qui me ramènera à l'air libre.

Quatorze mois plus tard, je suis toujours prisonnière de la pyramide. J'ai poussé la porte de la justice ; elle débouchait sur une galerie qui, ai-je cru, allait vite me délivrer de l'asphyxie des questions, et pire encore, de l'étouffement par excès d'imagination. Pour respirer, je ne demandais pas qu'on me livre un coupable. Je voulais simplement comprendre ce qui avait pu se passer dans la maison de l'impasse.

La galerie où je me suis engagée s'est révélée tortueuse et obscure. J'ai malgré tout poursuivi ma route. De loin en loin, j'ai distingué de faibles lueurs, que j'ai accueillies comme des midis rayonnants. Et même, des rais de lumière franche, dont j'ai cru qu'ils étaient l'annonce du grand jour. Mais le plus souvent, j'ai cheminé dans la pénombre. Rien n'a changé, j'y suis toujours, à tâtonner, espérer, désespérer. Voilà pourquoi j'écris.

2

Interdite

Au tout début de mon errance, une autre série d'images se superpose à la scène de *La Terre des pharaons* où le prêtre se retrouve emmuré derrière la herse de pierres. Un soir, alors que je suis aux prises, une fois encore, avec un fatras de conjectures sur le scénario du crime et le silence de Tristan, une nouvelle séquence filmée me traverse l'esprit, sans s'annoncer, elle non plus.

C'est cette fois un générique, celui d'une série culte des années 2000, diffusée en France sous le nom *Cold Case : Affaires classées*. J'en ai vu quelques épisodes. Ses héros sont une brigade chargée d'éclaircir des crimes inexpliqués.

Je ne m'en souviens plus bien. Je me rappelle seulement ses flash-backs ; et le profil des victimes, des êtres désarmés ou fragiles. Leur dossier dormait dans des caves mais un incident, une visite, un courrier, venait un jour rallumer l'intérêt des enquêteurs qui parvenaient, en dépit des années, à élucider le crime. À la fin de l'épisode, dans une séquence fantasmatique, la victime retrouvait brièvement les vivants – ses proches, l'ami, le parent hanté par sa mémoire, le policier qui avait démasqué le coupable. Pendant quelques secondes, sous une lumière radieuse, le mort et les vivants s'étreignaient. Ils étaient souriants, apaisés, comme libérés d'un antique sortilège. Seul écho du malheur : la bande-son du générique, déchirante. Puis le défunt s'évaporait, les enquêteurs redescendaient le dossier à la cave, où il retrouvait sa place dans les rayonnages. L'ordre était rétabli, chacun pouvait vivre en paix. Le monde avait recouvré son harmonie.

Je consulte Internet pour m'assurer que ma mémoire ne m'a pas joué un tour. Je ne suis pas la seule à me souvenir de ces génériques, ils comptent des milliers de fans. Les internautes les prisent d'autant plus que la bande-son de ces images fantasmatiques est souvent empruntée au répertoire de Dylan, Nirvana, Sinatra, The Doors, Lennon.

Je visionne la séquence qui clôt « A Perfect Day », l'épisode le plus fameux de la série. Le fantôme et les protagonistes du crime se retrouvent sur une plage. Elle ressemble à s'y méprendre à une plage bretonne où m'emmenait souvent ma sœur.

Au bout d'une minute, j'éteins l'ordinateur. Ces images qui me ramènent à des étés lointains, passe encore. Mais pas la bande-son, pas ce magnifique « Catch the Wind » de Donovan : « *And to take your hand along the sand / Ah ! but I may as well try and catch the wind* » – « Te prendre la main, le long de la plage / Autant chercher à retenir le vent ». Je le trouve toujours aussi splendide mais chercher à retenir le vent, c'est exactement ce que je fais depuis l'instant où, quittant le cimetière, je me suis retournée pour jeter un dernier regard à la tombe de ma sœur. J'ai beau faire, c'est toujours ainsi que je la vois, béante. Je n'arrive pas à l'imaginer refermée.

L'annonce du meurtre, il y a un mois, m'avait laissée interdite après le « Lis ! » que j'avais lâché à mon mari : incapable de proférer un mot. Avec le silence de ma famille – ces vieilles photos, ces lettres d'un autre temps qui n'ont pas été téléchargées, ce téléphone qui ne sonne pas, ma boîte aux lettres et ma boîte mail vides chaque matin du seul message que j'attends, des nouvelles de l'enquête, bonnes ou mauvaises –, me voici interdite au sens où l'entendaient les Romains des premiers temps : reléguée loin du feu où se réchauffent les miens, de l'eau où ils étanchent leur soif, privée du pain des paroles.

J'ai besoin de ce feu, de cette eau, de ce pain. Il me les faut, coûte que coûte.

Je m'en suis voulu d'avoir cherché ces images de *Cold Case*. J'ai mal dormi.

Puis au matin, comme elles me poursuivaient, j'ai réussi à échapper au flux d'émotions qui m'assiégeait et j'ai pu enfin former une pensée qui se tenait : « D'autres ont vécu ce que je vis. À commencer par l'homme, ou la femme, qui a eu l'idée de ce générique. »

Je n'ai pas été longue, alors, à mettre un nom sur ce qui m'arrivait depuis qu'au cimetière je m'étais retournée sur la tombe. J'étais prise dans les rets de la male mort.

Nous sommes égaux dans la mort mais nos morts ne sont pas égales. Il y a les belles morts, les fins qu'on a vues venir, qui ont pris leur temps. Et les mauvaises morts, les « males morts », comme on disait au Moyen Âge : massacres, exécutions, disparitions subites, accidentelles, sanglantes, atroces ou énigmatiques, suicides, crimes.

On a longtemps redouté les victimes de la male mort. Parce qu'elles ont quitté ce monde dans la violence et le chaos, on a imaginé que leurs souffrances perduraient après leur trépas et que ces « mauvais morts », au lieu de reposer en paix au fond de leur cercueil, s'en échappaient à la faveur de la nuit. Ils soulevaient leur pierre tombale, rejoignaient le monde des vivants, s'introduisaient, se glissaient, insaisissables, dans les demeures qu'ils avaient habitées et fréquentées pour y tourmenter ceux, familiers ou inconnus, qui s'y étaient installés à leur place. Ils s'y faisaient voir et surtout entendre, à grand renfort de plaintes, cliquetis, grincements, gémissements. Alors le vivant, saisi d'effroi, comprenait : une victime de la male mort était entrée chez lui. Tant que son trépas ne serait pas expliqué ou réparé, les habitants de la maison, à moins de quitter les lieux, ne connaîtraient plus le repos. Le mauvais mort reviendrait, et reviendrait encore, et reviendrait toujours jusqu'à ce qu'il ait obtenu ce qu'il voulait : qu'on lui rende justice. Ou pour le moins qu'on élucide la fin tragique le vouant à errer dans un entre-deux qui n'était ni tout à fait la vie ni tout à fait la mort. D'où le nom qu'on donna à ces visiteurs têtus et ombrageux : les revenants.

On les trouvait d'autant plus redoutables qu'ils étaient beaucoup plus mobiles que les vivants. C'étaient des êtres volatils, qui traversaient les murs comme ils auraient soulevé un rideau de soie.

Ils se montraient tout aussi prompts à se dissoudre dans les ténèbres sans laisser d'autres traces qu'un objet fracassé, un livre ouvert à une page qui pouvait éclaircir leur trépas. Ou parfois, comme dans cette villa hantée que j'ai visitée un jour à l'île Maurice, le parfum d'une rose de jardin.

Enfant, j'ai longtemps rêvé de voir des fantômes. Juste une poignée de secondes, pour le frisson. Ça ne s'est jamais trouvé.

Plus tard, dans cette villa de Maurice et d'autres vieilles maisons dont les propriétaires m'assurèrent que des spectres s'étaient plusieurs fois présentés dans la chambre où j'allais dormir, aucun revenant n'a manifesté le souhait de me rencontrer. J'ai eu le sommeil lourd ou ces visiteurs éthérés ont estimé que je n'entendrais pas un traître mot à leur langue ; à moins qu'ils n'aient jugé que je n'avais pas les compétences requises pour les venger, en quoi ils firent preuve d'une remarquable sagacité.

Je crois pourtant aux revenants. Les morts vivent constamment à nos côtés, nous accompagnent au quotidien ; leur dernière demeure, davantage que leur tombe, est notre mémoire. Comme naguère, les plus insistants sont les défunts dont la disparition inexpliquée nous a frappés d'effroi. Mais ils n'ont pas la forme que nos vieilles légendes leur prêtent, ce teint livide, ces yeux injectés de sang ni ces suaires affichés par les ados fêtant Halloween dont j'ai découvert les photos sur le compte Facebook de la ville au matin de l'enterrement de ma sœur. Les fantômes sont les émanations d'un monde infiniment plus riche et divers, notre imaginaire.

Pour autant je les respecte. Après un suicide ou un meurtre, notre mémoire se transforme en maison hantée et le chaos envahit nos vies. Si nous ne parvenons pas à comprendre le passé du disparu, à lui donner un sens, un destin, comme aux autres morts – début, milieu, fin –, pas moyen de rétablir l'ordre. À notre tour, nous deviendrons des errants de l'entre-deux, plus rongés chaque jour par l'inexplicable.

Avec ma sœur – ce fut flagrant dans les discours prononcés lors de la cérémonie funéraire –, plusieurs maillons manquent. Comment reconstituer la chaîne de causes et d'effets qui a conduit à cet *infandum*, ainsi qu'on dit en latin : l'atroce qui n'a pas de mots, sauf ce « Mourir comme ça… » que je m'entends chuchoter dès que je repense au meurtre ?

Dans le prêche sur lequel il avait conclu la cérémonie des obsèques, le pasteur l'avait bien senti : à trois reprises au moins, vibrant de toutes ses cordes vocales, il avait invoqué, pour combler ce vide abyssal, le « Grand Plan de Dieu ». Le criminel, en d'autres termes, c'était le Tout-Puissant. Ça dut rassurer la salle.

Pas moi. Jusque-là, si j'avais bien compris, le Divin Créateur était au-dessus de tout soupçon. Et voilà qu'il était pris la main dans le sac.

Il y avait plus grave. Le pasteur avait prononcé le mot « plan » : c'est donc que la vénérable entité divine avait pensé, ourdi, programmé ce crime. Meurtre avec préméditation.

Et aucun risque qu'on l'attrape. Impunité totale.

Ces petits sarcasmes adoucissent pendant quelques instants ma progression sous la chape de silence. Mais la vie, de temps à autre, peut aussi m'offrir un moment de répit. Ainsi, en cette fin novembre, une équipée en taxi. Je donne une conférence dans une lointaine banlieue. Quand j'en ai terminé, la nuit est tombée. J'appelle un taxi.

Le chauffeur rejoint le périphérique. Il n'a pas parcouru deux cents mètres qu'un motard lui fait une queue de poisson. Il baisse sa vitre, hurle des mots dans une langue qui m'est inconnue. Sûrement des injures car le motard renchérit et vient frôler l'avant de la voiture en vociférant de plus belle. Puis il s'évapore dans la nuit.

Mon chauffeur me prend à témoin :

– Vous avez vu ? C'est comme ça toute la journée. Mais je dois bénir le Tout-Puissant. Il y a deux jours, mon fils était seul à la maison, et là, d'un seul coup, on explose la porte. Et vous savez quoi ? Ils l'ont attaqué. Ils ont voulu prendre la télé, l'ordi…

Ils. Je dresse immédiatement l'oreille.

–… Mais mon fils, il ne s'est pas laissé faire. À douze ans c'est déjà un homme. Heureusement parce que les jeunes, dans le 9-3, s'ils ne savent pas se défendre ils sont morts. Alors comme il avait une arme, un jouet quoi, genre pistolet, kalache en plastique, il l'a pointée sur le type et l'autre lui a donné un coup de boule. Mais mon fils, il fait du foot, alors son coup de boule, il est passé à côté. Enfin presque. Seulement mon fils, il avait montré sa force. Alors l'autre, là, le caillera, il n'a rien embarqué, ni la télé ni l'ordi ni autre chose, et pourtant il y avait à embarquer, on n'est pas des SDF. Il s'est cassé et après, quand je suis rentré, on est allés chez les flics. Pas pour crier, madame, juste pour dire : ce coup-ci, c'est du lourd, pas de la petite embrouille de palier, ils sont entrés chez moi pour voler et le petit a pris un coup sur la tête. Seulement les flics, toujours pareil, ils m'ont répondu : « Rien à faire, monsieur, seulement un papier à remplir. Et de toute façon votre fils, il a juste une bosse… »

Je l'interromps :

– Vous l'avez emmené voir le médecin, il va bien ?

– Pas besoin. Mon fils est fort.

– N'empêche, ça aurait pu mal tourner. Il a eu de la chance. Ma sœur aussi, il y a deux mois, quelqu'un est entré chez elle pour voler. Mais elle, elle est morte.

Première fois que je raconte l'histoire de ma sœur à un inconnu. Pour l'instant, j'en ai peu parlé ; seuls quatre ou cinq amis sont au courant. Ils m'ont toujours écoutée. Mais plus j'avançais dans mon récit, plus j'avais l'impression qu'un fossé se creusait entre nous. J'ai fini par me dire : « Tais-toi, tu vas les perdre. » Ça me faisait honte, de m'être confiée. Une honte physique. Je me sentais souillée par les mots que je prononçais. Couverte de ce sang dont j'avais cru pouvoir parler. Coupable. Sur moi, pour toujours, il y aurait une tache. Et tous les parfums de l'Arabie, comme disait Lady Macbeth, ne pourraient jamais couvrir l'odeur du sang versé.

Il y avait aussi les quelques secondes de silence qui suivaient à chaque fois mon récit. Ou plutôt mon exposé des faits, qui était bref, et pour cause : j'en savais si peu sur l'agression. Et le crime me paraissait tellement irréel que j'étais incapable d'y mettre la moindre émotion.

Mes amis, quand ils ouvraient enfin la bouche, balbutiaient la même phrase que moi le matin où j'avais appris le drame : « C'est horrible. » Puis ils me répondaient comme je l'aurais fait à leur place : ils se disaient abasourdis. Ou atterrés, pétrifiés, je ne sais quoi encore dans le registre de la stupeur, effarés, suffoqués.

Peu importe l'adjectif, leur sidération a redoublé ma honte : je les avais entraînés contre leur gré dans une région d'eux-mêmes où ils ne se seraient aventurés pour rien au monde, les terres du sang et du Mal. Même s'ils les avaient vues mille fois représentées dans des films ou des chroniques de faits divers, ils n'en revenaient pas, qu'elles soient soudain si proches. Ils en perdaient leurs mots. Et le souffle ; il était littéralement coupé.

Comment leur en vouloir ? Une réaction réflexe. J'en avais cessé de respirer, moi aussi, quand j'avais découvert sur l'écran de mon portable l'annonce du drame.

Une nuit que je ne dormais pas, j'ai trouvé un nom à ce *no man's land* irrespirable où je les avais fait entrer malgré moi : la zone de l'effroi. Je me suis aussitôt levée afin de le noter sur un post-it.

Mais ce soir, dans le taxi, avec cet inconnu que je ne reverrai probablement jamais, je me sens en confiance. Sans doute parce qu'il a l'air familier de la peur et de la violence.

Il est malgré tout comme mes amis : à la fin de mon récit, il reste silencieux. Puis il reprend, songeur :

– Elle avait quel âge, votre sœur ?

– Soixante-dix-neuf.

– Ça, c'est vieux. Si elle a cherché l'embrouille, c'était mort d'avance.

– Je crois qu'elle a résisté, oui.

– On a retrouvé le type ?

– Pas encore.

– Ils ne trouvent jamais.

– J'espère bien qu'ils vont trouver !

– Ils ne trouveront pas. Sincères condoléances, madame. Et ne vous inquiétez pas, la justice divine va se montrer.

La justice divine ? Va-t-il me parler à son tour du Grand Plan de Dieu ? Pourvu que non. Je suis à cran, ce soir, je pourrais mal le prendre.

Mais son dieu à lui n'est pas du genre Planificateur Suprême. Il appartient plutôt à l'espèce vindicative :

– Le Tout-Puissant-Miséricordieux lui prépare un enfer à celui-là, le type qui a fait le coup.

Le-type-qui-a-fait-le-coup : quand je désigne l'agresseur, j'emploie la même périphrase. Ma famille et mes amis aussi. Voilà qui nous rapproche.

Mon chauffeur est plus méfiant que moi, il m'observe quelques secondes dans son rétroviseur.

Puis il hoche la tête et change de registre. Il s'exprime maintenant doctement, en termes choisis :

– Le Tout-Puissant-Miséricordieux lui prépare un enfer. Vous n'en avez pas idée, c'est un enfer pour l'éternité. Mais je vois que vous êtes une intellectuelle, vous ne pouvez pas savoir ce qu'est l'éternité et aucun intellectuel, même le plus intelligent, ne peut imaginer ce que c'est, l'éternité. Pourtant il faut faire confiance au Tout-Puissant-Miséricordieux, madame. Il va le pourrir, le type qui a fait le coup, le massacrer, je vous promets. Parce que ce qu'il a fait, ça, tuer une vieille, c'est horrible, et la justice divine, elle va faire ce qu'il faut, vous pouvez me croire. Elle va le massacrer, c'est comme ça dans toutes les religions que le Seigneur-Tout-Puissant nous a imposées et on n'a pas besoin d'être un intellectuel pour savoir ça.

Il n'est pas seulement sûr de son fait et de sa foi, il veut à tout prix me consoler. Et à la différence du pasteur de l'Église évangélique, qui se contentait de voir dans le meurtre de ma sœur un simple effet du sagace Grand Plan de Dieu, il en étouffe d'indignation, qu'une femme de soixante-dix-neuf ans ait pu mourir sous les coups d'un voyou :

– Parce que tuer, ça, non, ça, c'est pas possible. Voler, oui, ça se peut. On met le papi ou la mamie de côté, on lui colle du scotch sur la bouche, bon, ou alors du chatterton si on n'a pas autre chose. Après on prend ce qu'il y a à prendre et on s'en va, voilà. Ça, ça passe. Mais tuer, non. C'est inadmissible. Et vous allez voir, le Tout-Puissant-Miséricordieux ne va pas fermer les yeux, c'est pas possible, il est allé trop loin, le type. Sincères condoléances, madame, parce que la mamie, là, bon, votre sœur, je vous dis : ils pouvaient l'attacher proprement dans un coin avec de la ficelle et du scotch, juste pour l'empêcher de crier. Ensuite ils se cassent et ça reste propre. Mais tuer, là non, franchement, alors là…

On était arrivés à destination. Il aurait pu continuer pendant des heures tellement il avait envie de me convaincre qu'un jour ou l'autre, le-type-qui-avait-fait-le-coup serait réduit en chair à pâté par son dieu de miséricorde. « Bien sûr il faudra attendre et prendre votre mal en patience », avait-il eu la prudence d'ajouter au moment où il s'arrêtait devant mon immeuble. « Il ne faut quand même pas imaginer que là-haut, ça se passe comme ici, clic-clic et c'est fait. Non, là-haut, c'est aussi un peu comme avec la justice et la police. Mais malgré ce qu'on peut dire, croyez-moi ça marche dix fois mieux là-haut. Donc il faut vraiment que vous ayez confiance dans le Tout-Puissant-Miséricordieux, madame, à la différence des autres, là, les flics, la justice. Des incapables, tout ça. »

Puis, d'une poigne vigoureuse, il m'a serré la main. Il ne la lâchait plus, il répétait : « Sincères condoléances, madame, sincères condoléances. »

Je l'ai remercié, je l'ai payé puis j'ai couru chez moi, où je suis allée droit dans mon bureau. Je me suis assise devant ma table de travail, j'ai croisé les bras et j'ai posé ma tête dessus. Je riais comme on pleure, à chaudes larmes, avec des hoquets qui n'étaient pas loin des sanglots. Je riais, je riais ; et quand mon fou rire s'est arrêté, je me suis aperçue que je n'avais pas pleuré une seule fois depuis l'annonce du meurtre.

Mon ami Pierre m'a appelée deux jours plus tard. Pour prendre de mes nouvelles.

Pierre a la solidité, la constance d'un bon maçon. Et une voix paisible et sage. Nous nous vouvoyons, souvenir d'une époque où nous avons travaillé ensemble. Il a quelques années de plus que moi et il m'intimidait beaucoup.

Ce soir-là, il me demande :

– Alors, depuis l'autre jour ?

« L'autre jour », c'est celui où je lui ai appris le drame. Comme tous mes amis, il a été abasourdi ; il a eu lui aussi ce long silence d'effroi.

Il veut savoir si l'enquête a avancé. Mais je le sens – j'ai maintenant le flair d'une bête –, il se préoccupe surtout de moi. Il connaît mon histoire familiale ; et dans les livres où je l'ai évoquée, il a su lire entre les lignes.

Je lui raconte ce qui s'est passé. Ou plutôt ce qui ne s'est pas passé, le silence, l'attente, les conjectures. J'évoque même la male mort et l'impression que j'ai, depuis quelques semaines, de vivre en bannie.

Il se tait mais ce n'est pas ce souffle coupé qui signale l'entrée dans la zone de l'effroi. Avec Pierre, je suis plutôt une prisonnière appelée au parloir, qui se hâte de confier à son visiteur tout ce qu'elle a sur le cœur. Mes phrases se télescopent, j'avale des syllabes. Peut-être peine-t-il à me suivre.

Si c'est le cas, il n'en montre rien ; je me sens libre de lui décrire ce qui m'oppresse : ma honte à évoquer le meurtre, la sensation que j'ai, quand j'en dis ne serait-ce que deux mots, d'être salie, de porter des vêtements souillés de sang. Je peux même lui avouer cette manie que j'ai depuis l'annonce du drame : je pars errer dans mon quartier en fixant le visage des passants que je croise. Jamais les vieux, jamais les femmes. Je choisis toujours de jeunes mâles ou des hommes dans la force de l'âge, en me demandant à chaque fois : « Si c'était lui ? Ou l'autre, là ? Ou celui-ci ? » Je confesse à Pierre que je privilégie ceux qui ont le physique le plus commun, parce que j'ai assisté à une audience du procès Fourniret, que ce serial killer m'a frappée par l'extrême banalité de son apparence ; et comme Pierre ne m'interrompt toujours pas, je poursuis :

– Il ressemblait au voisin du pavillon d'à côté, le type qui jardine et bricole le week-end dans son garage, qui n'a ni une bonne tête ni une mauvaise. On lui dit bonjour-bonsoir, il répond ; le reste du temps, une fois par semaine, on le croise au supermarché ou au bar-tabac où il achète ses tickets à gratter, son billet d'EuroMillions…

Là, je ne peux plus continuer, et c'est moi, pour le coup, qui me retrouve dans le camp du silence.

Alors, toujours aussi paisible, Pierre me dit :

– Cette mort ne peut pas rester sans voix.

Sur le moment, j'ai cru entendre : « Cette mort ne peut pas laisser sans voix ». J'ai protesté :

– Vous, vous arrivez à m'écouter mais les autres… Même si j'abrège, ils sont saisis d'effroi. Je les comprends ; c'est très dur à entendre, une histoire pareille. Ils ne sont plus devant leur télé. La violence, la vraie, est là, sous leur nez. J'ai l'impression de les forcer à regarder un film d'horreur en 3D. Je ne veux plus leur imposer ça. Une fois suffit.

Pierre n'a pas argumenté. Il s'est borné à corriger :

– Je vous ai dit : cette mort ne peut pas *rester* sans voix.

– Que voulez-vous dire ?

– Prenez un carnet, un stylo et écrivez tout ce qui vous passe par la tête.

Il n'a pas ajouté : « Ça vous fera du bien », ç'aurait été me signifier que j'allais mal.

Il n'a pas non plus parlé de droit, de justice, de psy, de patience, ni du temps qui finit toujours par tout arranger. Alors j'ai concédé :

– Vous avez peut-être raison.

À la vérité, je n'y croyais pas. Ses mots, pourtant, ont porté. Quand il a raccroché, je me suis rappelé que je m'étais levée en pleine nuit pour griffonner sur un post-it, comme si c'était de la dernière importance, les mots « zone de l'effroi ».

Je me suis aussi souvenue que l'après-midi des obsèques, ma mémoire avait engrangé une foule de détails. Ils restaient aussi nets que si j'avais filmé l'enterrement.

Seulement écrire sur ça. *Ça* : l'innommable, l'improférable. *Ça*, comme dans le « mourir comme ça » que je me chuchotais dix fois par jour depuis un mois, ou la réponse que je faisais à mes proches lorsqu'ils me voyaient m'assombrir : « Il n'y a pas de mots pour ça… »

J'ai hésité. Puis un soir j'ai commencé à noircir les pages d'un carnet, le premier qui m'est tombé sous la main.

Aucune solennité dans le geste. D'une minute à l'autre, je me mets à griffonner tout ce qui me passe par la tête, selon le conseil de Pierre ; et comme j'essaierais, après des mois de traitements médicaux inefficaces, une tisane miraculeuse recommandée par ma voisine de palier ou un inconnu croisé dans un dîner. L'instant d'avant j'étais occupée à tout autre chose et d'un coup, vite, vite, tout de suite ! un carnet. En somme, cela m'a prise *comme ça*.

J'ai ce carnet sous les yeux. Les suivants aussi.

Je viens de les compter : onze en un an. Enfin onze et demi. J'ai abandonné le douzième quand j'ai décidé d'écrire ce livre.

Je les ai relus. Ça ne m'a pas pris trois heures, ils ne sont pas très épais. Je n'ai le plus souvent rempli que la page de droite, et sur la page de gauche, j'ai rarement dépassé les dix ou douze lignes. Mon écriture est brouillonne, comme si j'étais pressée d'en finir, et mes phrases constellées d'abréviations, quand elles ne sont pas rédigées en style télégraphique.

Peu de dates. Plutôt qu'un journal intime, il s'agit de notes rédigées sous le coup d'une impulsion. Elles sont de longueur variable et d'une nature très hétéroclite. Ici, une citation découverte dans un livre ou un magazine ; il m'a semblé qu'elle éclairait le moment que je traversais. Ou bien je note un rêve, un échange avec un proche, une réminiscence.

J'oublie parfois le carnet pendant plusieurs jours, voire une semaine. Puis, sous l'effet d'une nouvelle impulsion, je le ressors de la bibliothèque où je le range. Il arrive aussi que je l'emporte dans mon sac. Je profite d'un temps mort – un voyage en train, quelqu'un qui m'a donné rendez-vous et tarde à venir – pour faire le point.

Maintenant que j'ai relu ces carnets, je m'aperçois qu'une intention secrète relie ces fragments disparates ou laissés en suspens : j'ai voulu tenir la chronique du silence. Mais au fil des mois, un autre propos, beaucoup plus conscient, a pris le pas sur le premier. Il a commencé à se dessiner le jour où j'ai découvert que la police et la justice m'opposaient le même mutisme que ma famille. L'accablement, à ce moment-là, a fait place à la colère.

À la vérité, je ne me reconnais pas dans mes trois premiers carnets. C'est la femme en manteau bleu-noir qui les a écrits, celle qui avait hésité à s'asseoir au premier rang dans le temple, et s'est crue si long-temps interdite. Elle ressemble à une mouche prise au piège d'un verre, qui vole et qui grésille, confond la transparence du récipient avec l'air libre et ne cesse, l'imbécile, de se cogner aux parois. Elle ne se bat pas, elle se débat.

Malgré tout, elle s'accroche. Elle écrit par exemple : « Ces carnets sont ma ligne de vie. » Elle prend l'expression au sens où l'entendent les marins, harnais de sécurité : « Je ne sors pas sur le pont sans l'enfiler. »

De fait, elle est sur le pont. Elle a un livre à rendre, son éditeur la presse. Le sujet la passionne, elle travaille beaucoup, elle ne voit pas les jours filer. De ce livre, que l'annonce du meurtre n'a interrompu qu'une semaine, elle dit aussi : « Il me protège, il fait écran. J'ai de la chance. Comment font les autres, le père d'Estelle Mouzin, par exemple, ou tous ces parents d'enfants disparus ? Moi au moins, je sais où est ma sœur, je l'ai vue dans son cercueil. »

Sa ligne de vie, ce sont aussi ses proches. Dans ces trois premiers carnets, elle évoque ici et là des conversations qu'elle a avec son mari.

Ces échanges sont très libres. Et certains jours, joyeux. Il ne dédaigne pas l'humour noir ; elle note ses blagues. Avec ses mots d'esprit, il lui donne des clés pour déchiffrer ce qui lui arrive. Ça lui fait tellement de bien qu'un soir, elle écrit : « Nous avons le devoir d'être heureux. »

À la fin du deuxième carnet, quelque chose en elle se dénoue. Elle se risque ainsi à confier son histoire à un écrivain qu'elle croise de temps à autre et qu'elle aime beaucoup, un familier des dossiers criminels. Elle va jusqu'à lui parler, comme à Pierre, du silence qui l'oppresse et de la honte dont elle se croit entachée. Il lui prend la main : « Tu n'es pas souillée. Simplement, depuis ce meurtre, tu vis entre deux mondes. Ni dans l'humain, ni dans l'inhumain. Tu es dans le trop humain. Et ce trop humain réclame des mots. Si tu les refoules, ils vont te détruire. N'aie pas peur de parler. »

Ce qu'il lui a dit doit la requinquer. Le deuxième carnet se clôt sur les mots : « Je me renseigne. »

Le lendemain soir, dans un nouveau calepin, elle éclaircit cette phrase quelque peu énigmatique. Dans un salon du livre, elle a rencontré un criminologue puis un magistrat. Elle les a abordés, leur a sommairement relaté son affaire. Le premier lui a appris que les assassinats de vieilles dames sont rares, et l'autre, qu'il y a peu d'homicides en France, contrairement à la rumeur qui court. « Un peu plus de huit cents par an », a-t-il précisé. « Quatre-vingts pour cent d'entre eux sont résolus. Mais plus le temps passe, plus l'élucidation est difficile. Et c'est très dur d'attendre. »

Ça l'ébranle. Le soir venu, elle soupire : « Bientôt trois mois sans nouvelles, les chances diminuent. » Puis elle se reprend ; à la ligne suivante, elle écrit en capitales surlignées : « **OUBLIER D'ATTENDRE** ».

Elle doit déjà savoir qu'elle ne parviendra pas à respecter cette devise ; elle la souligne de trois traits et enchaîne, sans qu'on sache au juste de quoi elle parle, du meurtre ou du silence : « C'est dégueulasse, c'est dégueulasse. »

Elle peut cependant se montrer factuelle. Un peu plus loin, sous le titre « Par un ciel d'automne attiédi » – une citation de Verlaine –, elle entreprend de relater l'enterrement.

Elle abandonne ce subit flux de mots au bout de trois pages. Elle préfère se lancer dans une longue conjecture sur le scénario du crime. Elle l'interrompt encore, cette fois par une apostrophe qu'elle s'adresse à elle-même : « Dis-lui "Ta gueule !" à ta foutue imagination ! »

L'injonction porte. À la ligne suivante, elle écrit : « Ok, j'arrête. Lexomil, viens par ici. »

Sur ces trois premiers carnets, elle consigne systématiquement ses prises d'anxiolytiques. Pour une mouche affolée, elle s'avère d'une espèce plutôt tempérante puisqu'en deux mois, de ces Lexomil, elle en prend neuf au total. Le plus souvent, elle se shoote à la tisane Médiflor ; et pendant les vacances de Noël, au cannabis thérapeutique – le flacon lui a été fourni par sa fille qui vit en Californie. Elle cesse d'en prendre au bout de quinze jours : « Je vais beaucoup mieux », décrète-t-elle.

C'est le moment où elle écrit en capitales surlignées : « **PENSER LE CRIME** ». Là encore, elle ne développe pas, elle se contente de noter à la ligne suivante : « Deux mois et demi depuis le meurtre. L'enquête a sûrement avancé, Tristan et Manuel en savent nécessairement un peu plus sur ce qui s'est passé le 8 septembre. Mais savoir n'est pas nécessairement un bienfait. On peut savoir et ne rien comprendre à ce qu'on sait. Seulement comment comprendre quand on ne sait rien ? »

Je suis dès lors saisie d'une obsession qui ne me lâchera plus jusqu'au dernier carnet : trouver un lien entre le meurtre et le parcours de ma sœur. À la page suivante, je note : « Ce crime n'est pas une fiction, c'est la réalité qui l'a produit. Cependant, comme dans les fictions, roman ou film, il est le fruit d'un enchaînement de fatalités. Lesquelles ? Comment Denise s'est-elle retrouvée au mauvais moment et au mauvais endroit ? Les morts ont besoin d'un destin. Il faut absolument que je comprenne. »

Je commence à me ressaisir. Je récapitule ce que je sais sur les premières années de ma sœur depuis que j'ai découvert dans les archives de mon père, il y a sept ou huit ans, des photos d'elle toute petite, ainsi que le monceau de lettres que nos parents s'échangèrent entre 1940 et 1945 – ces documents que Tristan n'a pas téléchargés. Dans une brève digression, que je rédige exceptionnellement sur la page de gauche, j'observe :

« Ça lui était peut-être insupportable, de les regarder si peu de temps après la mort de sa mère. Malgré tout, moi, dans la même situation, je les aurais téléchargés. Parce que, dans cinq ans ou dix ans, il peut avoir besoin, tout d'un coup, de les découvrir. Les morts sont très puissants, ils ont le don de s'inviter dans votre vie quand vous croyez avoir tourné la page. » Puis je reprends mon histoire. Je décris la détresse qui s'empara de ma mère le jour où, enceinte de quatre mois et demi, elle vit son mari partir pour la guerre.

Je me justifie : « De toute façon, il me manque l'essentiel. Je n'avais pas revu Denise depuis des années. Et puis comment faire avec le reste ? »

Je ne dis pas quel est ce reste.

Deux jours après j'ai décidé d'engager un avocat. Je suis déterminée : « Quelle que soit son origine, le silence est une agression. Je dois y mettre fin. » Et, plus du tout nerveuse, ni hâtive, ni brouillonne, très ferme, au contraire, je poursuis : « C'est mon histoire, c'est mon chemin, c'est mon droit. »

Ces mots ne sont pas ceux de la femme en manteau bleu-noir. Là, je me reconnais.

L'avocat. La loi.

L'homme est grave. Pondéré, attentif. Ça me rassure.

J'ouvre notre entretien en m'inspirant des mots que j'ai griffonnés la veille sur mon carnet : « Je veux comprendre ce qui est arrivé à ma sœur. C'est mon histoire, c'est mon chemin. Vous allez me dire si c'est mon droit. »

Il me confirme que je peux avoir accès au dossier constitué par la police. La procédure est simple : me porter partie civile auprès du juge d'instruction qui supervise l'enquête. Il peut s'en occuper. Il suffit que je lui procure des documents attestant de mon identité et de mon lien de parenté avec la victime. Il les adressera au juge avec une demande de constitution de partie civile. Une fois qu'elle aura été enregistrée, le magistrat lui transmettra les éléments dont il dispose. Je les consulterai ici même, à son cabinet.

Pour lui, tout coule de source. Pour moi aussi : j'ai les documents sur moi.

Je les lui tends. Il me demande alors le nom du juge d'instruction.

– Je l'ignore.

Il sursaute :

– Comment ça ?

– Depuis l'enterrement, je n'ai plus le moindre contact avec les fils de ma sœur.

– Vous m'avez bien dit qu'une enquête est ouverte ?

– Oui. À ce que m'a dit l'un de mes neveux.

– Police, gendarmerie ?

– Aucune idée.

– Et le chef d'enquête ? Vous connaissez son nom ?

– Aucune idée non plus.

Il arrondit l'œil. Je devance sa question :

– Tristan, celui de mes neveux qui m'avait promis de me renseigner, a coupé tout contact avec moi après les obsèques, contrairement à ce qu'il m'avait annoncé. Je n'ai pas joint l'autre, j'avais senti qu'il y avait des tensions entre les deux frères. Je n'ai pas voulu en rajouter, déjà qu'ils viennent de perdre leur mère. Je les connais très peu. Et les enquêteurs ont pu leur interdire de répéter ce qu'ils savent.

Il paraît de plus en plus perplexe. Je lui raconte alors comment j'ai appris l'agression de ma sœur sept semaines après qu'elle a eu lieu. Puis je passe aux obsèques, aux promesses non tenues, à l'histoire des téléchargements.

J'abrège. La femme en manteau bleu-noir a refait surface. Je me sens déplacée, illégitime.

Je finis par couper court :

– Je suis venue vous voir parce que je ne supporte plus le silence. Je veux savoir.

Il m'observe un moment. Il est intrigué :

– Vous m'avez bien dit que votre sœur avait soixante-dix-neuf ans. Avant l'agression, elle se portait bien ?

– Ses deux fils m'ont dit qu'elle était en parfaite santé.

– Mais à votre avis ?

– Je ne l'avais pas vue depuis des années.

– Quand exactement ?

– La dernière fois, c'était à l'enterrement de mon père, il y a douze ans. Et avant…

Ma voix se trouble :

– Je ne la voyais pas.

Je devance ses questions :

– Vers la quarantaine, elle a été atteinte de graves troubles bipolaires. On m'a dit que sa maladie était incurable. On m'a aussi formellement déconseillé de la revoir.

– Qui, *on* ? Son médecin ?

– Oui. Je l'ai rencontré parce que ma famille… Enfin ma mère et l'une de mes sœurs l'avaient exigé. Mais comme pour sa mort, j'ai été la dernière avertie de sa maladie. Sa première crise, à ce que j'ai su ensuite, s'était produite deux ans plus tôt. Et quand je suis allée chez le médecin…

Je deviens confuse. Je m'en aperçois. Je ne peux pas poursuivre.

Il ne m'en demande pas plus. Pourtant ce « plus », je le sais, un jour ou l'autre, je serai bien obligée d'en parler.

Il a compris qu'il avait touché une zone à vif, il prend un biais :

– La victime… Je veux dire, votre sœur… Elle a compté pour vous ?

À cette question-là, je réponds dans la seconde :

– C'était l'aînée. Et ma marraine. Nous étions d'une famille très modeste.

Je retrouve mon assurance. Je suis fière de parler de Denise à cet homme de loi – un inconnu il y a encore dix minutes. Et cela me fait du bien, de lui apprendre qu'elle était surdouée, un de ces enfants qui comprennent tout, tout de suite ; je prends plaisir à lui raconter qu'à l'école, on l'a remarquée dès le cours préparatoire, qu'elle est entrée à l'École normale d'institutrices à quatorze ans et qu'elle a ensuite enchaîné sur la fac, où elle a brillé. Je parle à un avocat mais c'est moi qui plaide – plaide pour ma sœur :

– Elle n'avait rien d'un singe savant, c'était une fille généreuse, elle voulait qu'on s'en sorte, de ce minuscule bout de maison où nous vivions les uns sur les autres faute d'argent.

Je m'anime. Il y a de l'émotion dans ma voix quand je termine :

– Elle incarnait l'espoir, l'avenir. Sans elle, je ne serais pas devant vous. C'est grâce à Denise, par exemple, que les livres, les disques sont entrés dans la maison…

C'est plus fort que moi, je me justifie :

– D'ailleurs j'ai écrit plusieurs fois là-dessus. Pas plus tard qu'il y a deux ans, tenez, dans un journal. Et l'an passé dans un livre.

Tout juste si je n'ajoute pas : « Vous pouvez vérifier. » À croire que c'est moi, la coupable.

Il hoche la tête. Il a l'air de comprendre ce qui m'arrive.

Je me calme :

– … Quand j'étais petite, et même longtemps après, cette sœur, pour moi, c'était une reine. Mais je n'étais pas la seule à la voir comme ça. Dans la famille, tout le monde la vénérait, et vénérer, vous savez, c'est tout miser sur quelqu'un, tout en attendre. Pour nous, elle était la preuve vivante que les choses pouvaient changer : il suffisait de lire, comme elle, d'étudier. Mes grands-parents aussi la vénéraient. Et mes oncles, mes tantes. Il faut dire qu'ils sortaient tous d'une misère dont on n'a plus idée, la misère noire de la Bretagne d'avant-guerre. Alors qu'elle soit morte comme ça… Je n'accepte pas. Il faut que je comprenne, que j'en termine avec ce silence.

L'homme de loi semble de plus en plus pensif. Je reviens au fait :

– Le silence donne prise à l'imagination. Je suis ici pour mettre du rationnel dans cette affaire.

Il hoche encore la tête puis parcourt le document que je lui ai remis :

– Je vais appeler le tribunal pour connaître le nom du juge d'instruction. Ça va sans doute prendre un peu de temps. Là-bas, avant qu'on les joigne…

Je me souviens alors que j'avais prévu de lui donner un autre papier. Je le sors de mon sac :

– C'est le certificat de décès de ma sœur.

Il a un mouvement de surprise :

– Comment l'avez-vous obtenu ?

– Je vous l'ai dit, mon neveu Tristan, celui qui m'a prévenue du meurtre, avait pris en mains les obsèques. À la fin de la cérémonie, il a proposé « à ceux qui voulaient », comme il a dit, des copies de ce certificat. Il avait dû supposer que des membres de la famille avaient demandé à leurs employeurs de les libérer cet après-midi-là pour l'enterrement et qu'il leur fallait un justificatif. Je l'ai pris à tout hasard.

Il y jette un œil :

– Très bien. Je vais faire le nécessaire.

– Le nom du juge d'instruction… Vous le connaîtrez quand ? Demain, après-demain ?

– Je vous rappelle dans une semaine.

– Une semaine pour un nom !

– Vous savez, la justice…

Malgré la dernière phrase de l'homme de loi, je dors cette nuit-là d'un sommeil très profond. Je n'écris pas avant le lendemain. Je relate mon échange avec lui, trois pages que je conclus sur ces mots : « Enfin du rationnel ! » Je suis soulagée.

L'homme de loi met dix jours à me rappeler. Il m'apprend que le procureur n'a pas nommé de juge d'instruction. Le dossier est traité par le commissariat qui était de permanence le samedi de l'agression.

Il semble consterné :

– Nous en sommes encore au stade de l'enquête préliminaire.

Puis il me raconte que ce ne fut pas une mince affaire d'identifier le policier en charge de l'enquête. Il ne disposait que d'un seul indice, le nom de l'agente qui avait signé l'acte de décès. Non sans mal, il avait réussi à la joindre ; on l'avait baladé ensuite de service en service. On avait quand même fini par lui passer le chef d'enquête, lequel lui avait répondu qu'il allait remettre son rapport au procureur sous huit jours.

Huit jours, le délai me semble acceptable. L'homme de loi, cependant, se montre circonspect :

– Au vu de ce rapport, logiquement, le procureur devrait nommer un juge. On va bien voir.

Autant que son « logiquement », son « on va bien voir » m'inquiète. Je ne lui en dis rien. Je prends congé.

Une fois chez moi, je ressors mon carnet et j'écris : « Oublier d'attendre. » Sans surlignage, cette fois. Je commence à me faire au temps long.

Enfin je crois.

Jusqu'ici, la galerie où je me suis engagée sous la pyramide de silence a suivi une ligne à peu près droite. En ce début d'hiver, elle se transforme en labyrinthe. Chaque fois que je me crois proche de la sortie, un nouveau mur me barre le chemin.

Le chef d'enquête ne rend pas son rapport. Ni huit jours après que l'avocat a retrouvé sa trace, ni la semaine suivante, comme il le promet quand l'homme de loi le rappelle. Ni avant Noël, comme il le jure encore. Ni au début de la nouvelle année – il l'a une troisième fois juré.

Ensuite, il tombe malade. Puis son congé est prolongé. Puis il est en convalescence. Puis il rentre mais il est toujours occupé. Ailleurs, absent, injoignable. Le rappeler ? Où, quand ? Personne ne sait.

J'avais voulu en finir avec mon imagination. Voici que je la retrouve en travers de ma route, cette vieille et fidèle camarade. Nouveau sabbat de questions. Que font Tristan et Manuel ? Ils appellent le chef d'enquête, eux aussi, ils le houspillent, le tarabustent ? Si la maison de leur mère est toujours sous scellés, ce serait leur intérêt ; ils ne peuvent ni y pénétrer, ni l'entretenir, encore moins la vendre s'ils le souhaitent.

Mais est-elle seulement sous scellés à l'heure qu'il est ? Et ont-ils cherché à se porter partie civile ? Je suppose que oui. En ce cas, on leur aura fait la même réponse qu'à moi : sans rapport du policier qui dirige l'enquête préliminaire, pas de juge d'instruction. Et sans juge d'instruction, pas d'accès au dossier.

Elle les laisserait donc de marbre, cette kafkaïenne embrouille ? Ça m'étonnerait. Ou c'est qu'ils se soumettent au Grand Plan de Dieu.

Tel n'est pas mon cas. Je renoue alors avec une autre vieille connaissance.

La colère. On se fréquente moins que l'imagination, elle et moi. Pendant toute une époque, on a été assez proches, mais j'ai compris qu'il fallait se méfier d'elle et, avec le temps, j'ai appris à lui clouer le bec. Je sais maintenant l'enfermer, solidement ligotée et bâillonnée, dans une chambre connue de moi seule. Quand je l'autorise à sortir, c'est qu'elle a fait pénitence. Elle n'est pas éteinte, elle a changé. De colère noire, elle a muté en colère blanche. Parfois même en sainte colère.

C'est elle, cette fureur froide, qui me conduit, en ce début février, à écrire au Maître du Silence – le surnom dont j'affuble dans mes carnets le procureur qui a la haute main sur l'enquête. Mon style est à l'image de ma colère : contenu. Quatre lignes et demie pour exposer les faits, une pour demander d'être informée sur les suites que le parquet entend leur donner et la dernière pour la formule de politesse.

Ma concision doit faire son petit effet, je reçois une réponse dix jours après. On m'attribue des références : le mot « Décès » suivi de l'état civil de la défunte ainsi qu'un numéro qui ne compte pas moins de onze chiffres.

Dans cet intitulé administratif, rien ne me heurte, sauf la mention « Décès ». Pourquoi pas « homicide », ou pour le moins, « coups et blessures ayant entraîné la mort » ? Me serais-je trompée, aurais-je fait un mauvais rêve, m'aurait-on raconté des bobards, Denise, en définitive, serait-elle tombée dans un escalier ? Ou d'un escabeau ?

Le courrier – cinq lignes – est précédé des coordonnées de l'officier de justice qui suit l'affaire. L'appeler ? Dans sa lettre, pas un mot qui m'y encourage. Après avoir écrit : « Je ne suis pas en mesure de vous renseigner, l'enquête ne m'ayant pas été transmise », il a ajouté : « Je vous l'adresserai dès réception. »

Voilà qui est étrange, mon avocat m'a tenu un tout autre discours. Avant de pouvoir prendre connaissance de cette inaccessible enquête, m'a-t-il expliqué, nous devons impérativement attendre que la police ait envoyé son rapport au procureur, lequel, après lecture, consentira, ou non, à nommer un juge d'instruction, après quoi, pour en prendre à mon tour connaissance, je devrai montrer patte blanche audit juge, lui présenter une demande de constitution de partie civile et patienter jusqu'à ce qu'elle soit agréée. Alors seulement je pourrai espérer consulter le dossier.

Pourquoi « espérer » ? Parce qu'une fois que j'aurai la bénédiction du Maître du Silence, la transmission du dossier prendra encore « un certain temps », selon les mots de l'homme de loi. Autrement dit, je pourrai décliner la gamme entière du supplice de l'attente, languir, moisir, me morfondre, trépigner, enrager.

Et voici qu'à l'instar des maraîchers bio, l'officier de justice me fait miroiter un circuit court. Les règles qui régissent l'exploration du labyrinthe auraient-elles soudain changé ?

J'en doute. Je préfère adresser un second courrier au Maître du Silence.

Ma colère a redoublé. Entre mon premier et mon second courrier, cependant, j'ai progressé dans l'art de ramasser ma pensée : quatre lignes pour évoquer la volatilité du policier en charge des investigations sur le meurtre ; et une seule phrase pour présenter ma demande : « Je vous serais extrêmement reconnaissante de bien vouloir m'indiquer quelles sont les perspectives du règlement de cette enquête. »

Là-bas, au tribunal, où siège le Maître du Silence, en vient-on à soupçonner, sous ce vernis de concision, une blanche colère de la plus belle espèce ? Quelques jours plus tard, j'obtiens une réponse par mail. On m'y donne aussi, bonus inespéré, des nouvelles du chef d'enquête. Boucler son dossier lui prendra du temps, m'apprend-on, de nombreuses investigations sont encore nécessaires.

Nouveau cadeau du ciel, une phrase de ce mail qui compte deux lignes de plus que le précédent, me laisse entendre qu'un rapport de cause à effet relie le décès de ma sœur à l'agression qu'elle a subie. On me signale enfin que je serai tenue informée des suites de l'enquête.

Sept lignes ! Et un mail ! Et pour me répondre, on n'a pas attendu une semaine ! Je suis maintenant dans la peau d'une amoureuse à qui l'objet de sa passion n'a jamais daigné accorder un regard et qui, miracle !, lui déclare subitement sa flamme. Je souris, je respire, je retrouve des couleurs, j'ai le cœur léger, ma colère s'éteint.

Ensuite le silence. Pendant deux mois, aucune nouvelle, ni du tribunal ni du policier qui dirige l'enquête. Dans ma chambre secrète, la colère recommence à bouillir. Noire, cette fois. J'écris sur mon carnet : « Il faut que je passe mes nerfs sur quelque chose. »

Il y a peu, j'ai analysé ce qui m'est arrivé ce printemps-là. Je venais d'apprendre qu'un mal étrange touche presque tous ceux dont un proche a été assassiné quand la police tarde ou échoue à élucider le drame. La maladie consiste à se dire : « Je vais enquêter, moi aussi. Si ça se trouve, je vais faire mieux que les flics. » J'ai écrit quelques lignes à ce propos dans mes carnets ; j'ai intitulé ce petit texte « Le syndrome Columbo ».

Rien ne l'annonce. Il vous tombe dessus d'une minute à l'autre. Pour moi, ce fut un matin. À peine levée, je décide de relire, ligne à ligne, mot à mot, l'article qui a été publié deux jours après l'agression.

Je le retrouve aussitôt sur Internet. Il est maintenant précédé de trois nouveaux articles. Le premier est daté de début décembre, le suivant de la mi-février et le troisième est tout récent. D'autres attaques se sont produites.

C'est le deuxième papier, celui de décembre, qui m'arrête. En l'épluchant, comme je me le suis promis, je découvre qu'avant Denise, deux « retraités » auraient été attaqués à leur domicile par un cambrioleur ultra-violent.

La première intrusion s'était déroulée au mois de juin, dans une maison située à huit cents mètres du pavillon de ma sœur, au fond d'une impasse, elle aussi. L'agresseur n'avait pas lésiné sur les moyens : il s'était armé d'un marteau. L'article ne disait pas si la victime était un homme ou une femme. Il signalait seulement qu'elle avait soixante-douze ans et qu'il s'agissait d'une « personne vulnérable » – en d'autres termes, dépendante. L'inconnu avait tenté de l'étouffer à l'aide d'un oreiller. Fort heureusement, son fils était intervenu et l'avait mis en fuite.

Le quatrième article, le plus récent, reprenait ces informations en ajoutant qu'une troisième agression s'était produite pendant l'été, juste avant celle de Denise. Son auteur, cependant, était prudent ; il en parlait au conditionnel. Une nouvelle attaque, soulignait-il – sur ce point, il était formel –, avait eu lieu début décembre, soit quatre mois jour pour jour après l'intrusion chez ma sœur, un samedi encore une fois, à deux kilomètres de chez elle. Une autre vieille dame avait vu surgir un inconnu dans sa chambre.

Elle était plus âgée, quatre-vingt-sept ans. Mais le mode opératoire présentait de nombreuses similitudes : l'intrus avait cassé une vitre pour pénétrer dans sa maison. Il l'avait surprise dans son lit sur le coup de quatre heures du matin et tenté de l'étouffer avec son oreiller avant de la dépouiller d'un collier et de ses bagues. Là aussi, l'irruption de son fils l'avait sauvée. L'agresseur avait pris la fuite.

La série avait repris en février. Cette fois l'adresse de la victime n'était pas précisée, mais son âge, si : quatre-vingt-un ans, ainsi que le butin du cambriolage, un lingot d'or de cinq cents grammes plus des bijoux, soit au total vingt mille euros. La vieille dame aurait été jetée au sol et traînée sur quelques mètres. Sous la menace d'une arme – laquelle, l'article ne le disait pas –, l'inconnu l'avait forcée à lui ouvrir son coffre-fort.

Enfin, le 30 mars au petit matin, une nonagénaire, alertée par le fracas d'une vitre brisée, avait surpris un homme dans son jardin. Il brandissait le marteau qui avait servi à défoncer le vitrage. Cette fois, l'individu n'avait pas insisté, il avait détalé.

« Rien n'indique que les agressions soient liées », notait le journaliste. Pour autant, l'article était titré : « Le cambrioleur ultra-violent repéré ».

Sept agressions, les vitres fracassées, le marteau, l'oreiller, cet inconnu, peut-être le même, qui déboulait à l'approche de l'aube ou en pleine nuit chez des « retraités », la plupart du temps des femmes, souvent le samedi : sous l'effet de la sidération, mon « syndrome Columbo » a disparu. C'en était trop.

Cependant la colère, ce matin-là, reprend vite le dessus, noire comme au premier jour. Mais structurée, à présent, articulée, nourrie de raison raisonnante : en moins d'un an, autant d'attaques dans le même secteur, et l'affaire est restée sous le boisseau, on l'a laissée aux mains de la police, on n'a pas nommé de juge d'instruction ? Et personne n'a protesté, récriminé ? Ces victimes, les septuagénaires, octogénaires, nonagénaires dont parlent les quatre articles que je viens de lire, furent sûrement très éprouvées, on peut comprendre qu'elles n'aient pas eu la force de harceler le tribunal. Mais elles ont sans doute des enfants, des petits-enfants, des neveux, des nièces. Ceux-ci ont-ils écrit au procureur, comme moi, fait appel à un avocat, cherché à se porter partie civile ? La police, de peur de déclencher une psychose dans la ville (ou parce qu'elle échoue depuis des mois à élucider cette effarante série, qu'elle craint pour ses statistiques, la fameuse « politique du chiffre »), leur aurait-elle demandé de se taire ? Ils auraient acquiescé, ils se seraient soumis ? Et ils continuaient, ils restaient bouche cousue ? Ils étaient passés à autre chose ?

Bien possible. Dans leur cas, après tout, les victimes en avaient réchappé. D'ailleurs, à quoi bon s'agiter ? Parce que le temps qu'ils trouvent le-type-qui-a-fait-ça… Encore heureux s'ils le trouvent, ils ne trouvent jamais.

Ces phrases-là, le jour de l'enterrement, je les avais entendues dans le cortège qui nous menait au cimetière. Il m'avait alors semblé qu'autant que le discours du pasteur, elles avaient contribué à la manière sereine dont on avait conduit la défunte à sa dernière demeure. Le *ils* m'avait aussi amusée : par une étrange inversion linguistique, ce pluriel ne désignait plus les voyous mais les policiers.

Il y avait enfin l'inavoué : un meurtre de vieille dame, faut-il vraiment qu'on s'y arrête ? C'est triste, ça oui, et quand même assez révoltant, seulement est-ce qu'on déclenche des marches blanches pour ça ?

De fait, il ne me semble pas que les vieilles femmes trucidées aient jamais suscité pareilles et contagieuses démonstrations populaires. Ou ça m'a échappé. En cas d'assassinat sauvage, à moins d'être une enfant, il faut être jeune et belle pour mériter ces processions indignées. Le plus souvent, les meurtres de « retraitées », selon l'expression consacrée, ne passionnent ni les foules ni les media, sauf quand le sexe et l'argent viennent pimenter l'affaire. Un gros héritage, par exemple, ou un gigolo – si on dispose des deux ingrédients, jackpot assuré.

Il n'était pas glamour, le meurtre de ma sœur. Aucune prise pour l'imaginaire. Rien que de la réalité à l'état brut. Du pas beau à voir, comme avait dit un des flics le dimanche où on l'avait trouvée.

3

Profil

Dès que je lui signale la série d'agressions qui se sont produites dans la ville, l'homme de loi appelle le commissariat en charge de l'enquête. Il me relate sa démarche dans un mail. « J'en ai pris prétexte », m'écrit-il.

L'avocat doit donc quémander, lorsqu'il joint la police pour obtenir au nom de son client quelques bribes de renseignements sur un meurtre survenu au sein d'une famille ? Arguer au minimum de sept agressions ultra-violentes dans le même secteur, dont une mortelle ?

Avec cette série, on devait friser l'effet de seuil : le chef d'enquête a consenti à le prendre au téléphone.

Son équipe n'aurait pas réussi à établir de lien entre l'agression de Denise et les intrusions qui se sont produites avant et après sa mort, m'apprend le mail de l'homme de loi. « Sans doute faute de constat matériel suffisant. »

De quoi parle-t-il au juste, avec ces « constats matériels » ? Je lui demande un rendez-vous.

J'arrive à son cabinet le souffle court. Il a compris que je veux du concret. Il reprend le texte qu'il m'a adressé en l'assortissant de nouveaux détails. Le chef d'enquête lui a révélé qu'il y a un grand bois derrière la maison de Denise et, à moins de dix minutes à pied, un quartier dit « sensible ». Avec son équipe, il a émis l'hypothèse que l'agresseur vit dans cette cité et qu'il est venu par le bois en question.

Encore fallait-il qu'il étaie ses suppositions. Il n'a pas réussi, a-t-il dit, « faute de réponses techniques ». Ce terme désignerait, entre autres, des investigations téléphoniques. Elles tardent à venir en raison d'« un important délai de traitement dû à la surcharge de travail des services spécialisés ayant les compétences nécessaires ».

Même techno-langue que dans les TGV lorsque le train s'immobilise en rase campagne. Usagère régulière de la SNCF, je la connais assez pour me livrer à un exercice de traduction simultanée : « On n'est pas sortis de l'auberge. »

Je soupire. L'avocat aussi.

– C'est vraisemblablement ce qui explique le silence du tribunal, ajoute-t-il. Et son attentisme.

« Attentisme » : mais on en a pour combien de temps ? Se pourrait-il que le dossier de Denise finisse dans une cave ?

Un mot me traverse l'esprit : ce « Décès » que l'officier de justice a cru bon de faire figurer dans son premier courrier. Dans la foulée, les phrases évasives qui suivaient me reviennent : « Je ne suis pas en mesure de vous renseigner »… « Je vous adresserai l'enquête dès réception… »

Je devrais m'ouvrir de mes doutes à l'homme de loi, mais il va me trouver parano. Je me tais. D'autant qu'il m'annonce :

– Il y a quand même une bonne nouvelle. L'un de vos neveux, Tristan, je crois, est en contact régulier avec le chef d'enquête.

Je sursaute. En quoi est-ce une bonne nouvelle ? Qu'est-ce que ça change pour moi, que ce policier taille des bavettes avec Tristan ? Ma sœur est morte depuis plus de six mois et je n'ai toujours pas entendu le son de sa voix.

Je préfère passer outre :

– Tant qu'on en est à mon neveu… S'est-il constitué partie civile ?

– Vraisemblablement non, puisqu'on n'a pas nommé de juge d'instruction.

– A-t-il au moins porté plainte ?

– Je l'ignore.

– Et son frère ?

Il ne sait pas non plus. Mais il a une seconde « bonne nouvelle » à m'annoncer. Le policier, me dit-il, avant de raccrocher, a tenu à souligner son implication personnelle dans l'élucidation du meurtre de ma sœur. Il en a voulu pour preuve qu'il est retourné sur les lieux de l'agression pour procéder à d'autres investigations.

L'enquête, en somme, n'avance pas mais elle avance quand même ; et je dois dès maintenant assimiler ce paradoxe car d'après l'avocat, ce policier est absolument sincère. Il aurait affirmé, par exemple : « Cette affaire me passionne, ce serait vraiment dommage que votre cliente obtienne la nomination d'un juge d'instruction. C'est son droit le plus strict mais à l'arrivée, ce serait un désastre. Si elle saisit la justice, les investigations seront confiées à d'autres enquêteurs. Le temps qu'ils reprennent tout à zéro… Moi, cette affaire, je la connais en détail. » Puis il aurait invoqué un décret à paraître dans les deux mois, un texte qui permettrait qu'en ce cas d'espèce, ses hommes ne soient pas dessaisis du dossier au profit d'une autre équipe. Il aurait supplié : « Il faudrait que votre cliente patiente jusqu'à ce que ce décret soit promulgué. Deux mois, ce n'est pas si long. » Il aurait répété avant de raccrocher : « Je suis passionné par ce dossier. »

– Il serait sage de lui accorder du temps, résume l'avocat. Un policier qui s'implique à ce point, c'est une chance.

Du temps, encore du temps. Cette fois-ci, c'en est trop. Je n'en suis pas encore aux décibels qui font trembler les murs, mais déjà aux points d'exclamation :

– Nous sommes donc aux mains de ce policier ! L'enquête lui plaît, il la garde pour lui, elle lui déplaît, il s'arrange pour que la justice la refile à un collègue ! Et les gens de la famille, pendant ce temps-là, ils sont à la merci de ses humeurs ! Et qui le contrôle, ce policier ? Il me semble qu'elle est faite pour ça, la justice ! Sinon tout peut arriver, les ripoux, n'importe quoi ! Seulement voilà, la justice dit qu'il faut attendre le bon vouloir de la police, et la police, qu'il ne faut surtout pas alerter la justice ! On joue à quoi ?

L'avocat est rompu aux éclats de ses clients. Il garde son sang-froid :

– Ce policier se sent très concerné par l'histoire de votre sœur.

Concerné. Depuis six mois, première fois qu'on m'assure que quelqu'un, dans la tribu des humains, quelqu'un qui a du pouvoir, des moyens, une légitimité, entend les mettre au service de la morte pour les mêmes raisons que moi : parce qu'il ne supporte pas que sa disparition reste inexpliquée. Je cède.

J'ai du mal à me lever. J'ai quelque chose sur le cœur mais je ne sais pas quoi.

Soudain je trouve :

– Au départ, je suis venue vous voir parce que j'en avais assez du silence. Mais maintenant avec cette justice, cette police qui se renvoient la balle… Je ne laisserai pas ma sœur patauger dans ce bourbier. Je veux donner une chance à son dossier. Déjà que dans sa vie, de la chance, elle n'en a pas eu beaucoup…

L'homme de loi doit me comprendre. Il est très grave, hoche la tête :

– Laissons filer un peu de temps, on y verra plus clair. Deux mois par exemple, le temps que le décret dont je vous ai parlé…

Je ne suis plus qu'impuissance, abandon, résignation :

– Oui, deux mois.

Quelques nuits après, le fantôme de ma sœur se manifeste à moi. Je rêve de Denise.

Nous sommes ensemble. Je reconnais les lieux : le Fort-Bloqué, la plus grande plage de la côte de Lorient. Denise m'y emmenait souvent. Nous y prenions de longs bains de soleil avant d'aller sauter dans les vagues.

Le vieux bastion qui a donné son nom à la plage se dresse devant nous. La marée monte mais l'îlot granitique où il fut construit est encore relié à la terre ferme.

Il fait très beau. Une fosse a été creusée dans le sable humide, « du sable qui se tient », comme disait Denise quand elle me voyait en faire des châteaux. C'est toujours celui qu'elle me conseillait d'employer.

Les parois de la fosse sont parfaitement lisses et rectilignes. Ma main, comme pour les remparts de mes forteresses d'autrefois, s'assure de leur solidité. Je m'étonne qu'elles soient aussi rigides qu'un morceau de gâteau glacé. Je sonde la fosse. Denise, elle-même rigide et glacée, s'y trouve étendue.

Je lève les yeux pour sonder l'horizon. Je vois surgir derrière le fortin la ligne gris-bleu de l'île de Groix lorsqu'une voix lointaine m'avertit : « La mer monte. Il faut tout reprendre du début et faire vite. »

Qui me parle ? Que dois-je reprendre du début ? La fosse ? Ce n'est pas moi qui l'ai creusée ! Je veux bien faire vite, mais quoi au juste ?

Le rêve insiste. Il redéroule plusieurs fois sa petite séquence énigmatique. Je finis par me réveiller. Je me lève.

J'ai du mal à tenir debout, j'ai l'impression qu'une lame – celle qui a servi à tailler la fosse ? – est fichée entre mes omoplates. Puis je revois, ou plutôt je revis le rêve. Le Fort-Bloqué, la fosse, la mer qui monte, la voix inconnue qui m'enjoint de faire vite, tout me revient. Et le sens du rêve me semble clair, au point que je ne suis pas loin de le trouver simpliste : la marée de l'oubli menace, le dossier de Denise est bloqué.

L'angoisse m'étreint. Faire vite, mais comment ? J'ai promis de laisser le champ libre au policier.

La colère qui m'avait brièvement saisie chez l'homme de loi se réveille. Cette fois, elle me submerge : « Et on veut que je m'incline, que je m'efface ! Allez, boucle-la, dégage, change-toi les idées, va faire un tour, oreilles bouchées, yeux bandés, circulez y a rien à voir, ma petite dame. Et vos lettres, là, que vous envoyez à la justice, et l'homme de loi que vous poussez à harceler la police, tout votre cirque, ce ne serait pas par hasard de la curiosité mal placée ? On s'ennuie, alors un meurtre dans la famille, waouh !, on va pouvoir jouer au Cluedo pour de vrai ! Et puis écrivain, non ? Ah, les écrivains ! Pareils que les journalistes, ceux-là, toujours à se mêler de ce qui ne les regarde pas. Mais cette fois, petite madame, il va falloir vous l'enfoncer dans le crâne : vous n'avez rien à faire dans cette histoire de crime, même si la femme qu'on a trucidée, c'est votre sœur. »

J'en parle toute seule. Et je le vois, le flic, je l'entends.

Mais je m'entends moi aussi lui renvoyer en pleine gueule, de plus en plus dressée sur mes ergots à mesure que ma fureur, comme la marée sur la plage du Fort-Bloqué, monte et déferle : « Eh bien justement ! Écrivain, j'ai tout à faire dans cette histoire, du moment que vous me dites que je n'ai rien à y faire ! »

Je dors à l'hôtel ce soir-là ; je n'ai pas de carnet sur moi. Je m'empare de la carte du room service et tout en haut, juste avant la section « Soupes », je griffonne : « Avec la police, la justice, toutes ces lois, ces règlements, ces gens qui se renvoient la balle, je me lance dans un voyage en terre inconnue. Le pays est peuplé de muets. De loin en loin, ils retrouvent l'usage de la parole mais je ne comprends rien à ce qu'ils disent. Je suis perdue. Quand je demande mon chemin, pas de réponse. Et je n'ai pas de GPS. »

Je ne suis pas tout à fait à bout de ressources. Je finis par m'en bricoler un, de GPS.

Combien de temps ça m'a pris ? J'ai oublié. À des mois de distance, cette période m'est devenue nébuleuse. Je dormais mal, je faisais des rêves étranges. Au réveil, je ne me souvenais de rien. Mais il ne semble pas que ma sœur m'ait à nouveau rendu visite.

Le sommeil m'abandonnait toujours vers trois heures du matin, ce moment que les Indiens appellent l'heure de Shiva, « le noir instant » comme ils disent aussi, l'intervalle fatal où la vie et la mort sont mitoyennes, quand le Temps redouble d'acharnement à nous ronger. À ce moment-là de la nuit, assurent-ils, les démons de l'inquiétude s'infiltrent par toutes les fissures des lieux où nous croyons abriter nos existences fragiles, les toits, les planchers, le seuil des portes, les serrures, les plus minces interstices.

Donc je me réveillais. Et je remâchais, ruminais : le nommera-t-on un jour, ce juge d'instruction qui pourrait jeter un œil neuf sur le dossier de Denise, et ainsi lui donner sa chance puisque la police n'arrive à rien ? Va-t-on le classer, ira-t-il se perdre dans l'océan de l'oubli ?

Les questions, à mesure que la nuit s'avançait, se faisaient plus pressantes, et simultanément, changeaient de nature : à quoi ressemblera-t-il, ce juge ? Que lui dire si d'aventure il est nommé ? Voudra-t-il m'entendre ? Dans l'affirmative, quelles questions me posera-t-il ?

À force, ce juge, je l'ai imaginé. Et je les ai inventées, ces questions.

Pourquoi je n'ai pas choisi le policier ? Il aurait pu faire l'affaire ; ce sont presque toujours les flics qui apparaissent au début des polars, romans ou films, comme dans ces reconstitutions télévisées de faits divers que les Anglo-Saxons ont baptisées *true crimes* ; tous, dans leurs premières séquences, ils interrogent les proches afin de dresser le profil de la victime.

J'ai préféré le juge. Le Maître du Silence ne l'avait toujours pas désigné mais ça m'était égal. Je le voulais. On me le refusait, je me le fabriquais.

J'étais parfaitement consciente qu'un vrai juge d'instruction ne serait que très modérément intéressé par le passé de Denise et mes démêlés avec ma famille. Il pourrait cependant se montrer intrigué que j'aie mis tant d'insistance à ce qu'on le nomme. Alors, comme on fait absolument ce qu'on veut lorsqu'on invente et que les personnages qui s'agitent dans nos fantasmes ne sont que des marionnettes, je le voyais bien, mon pantin de juge, ouvrir son interrogatoire sur ces mots : « Vous avez dépensé une telle énergie pour vous retrouver devant moi. Qu'est-ce qui vous attachait à ce point à votre sœur ? »

Je lui sortirais alors la photo. *La* photo. Depuis que je suis tombée dessus, elle seule compte.

Une bénédiction, cette découverte. Un de ces rais de lumière qui m'ont rendu l'espoir pendant ma remontée des tunnels qui couraient sous la pyramide.

C'est arrivé un dimanche. Quand ? Il y a quinze jours, je pense, juste avant mon rendez-vous avec l'avocat.

Mon mari, cet après-midi-là, cherche des films qu'il a tournés en super-8 dans les années 1970. Il craint qu'ils ne se détériorent ; il veut les faire numériser.

Il se souvient qu'il les a entreposés à la cave. Il n'a aucune peine à retrouver le carton où il les a rangés avec des dizaines d'étuis qui contiennent de vieilles diapositives.

Il en profite pour inventorier le contenu de ces étuis de plastique rigide. Ils sont de couleur bleu marine, sauf un. Celui-là est jaune ; il semble vide, alors que les autres sont remplis de clichés.

Il l'ouvre, n'y trouve en effet aucune diapositive. Mais une photo en noir et blanc est coincée dans l'étui. Denise et moi, sur une place.

Le cliché, curieusement, a été découpé. Il n'en reste qu'un rectangle. Tout petit, six centimètres de long sur trois et demi de large. Dès qu'il l'extrait, mon mari me reconnaît. Il identifie aussi Denise – il ne l'a pourtant rencontrée que cinq ou six fois.

Il fait irruption dans mon bureau :

– Regarde !

Mon premier mouvement n'est pas celui qu'il attend. Au lieu de m'exclamer : « Denise ! » je lui réponds :

– Je sais d'où vient cette photo.

Je suis sûre de mon fait : elle était collée dans l'album de famille que j'avais cherché en vain chez mes parents après leur mort. Ma mère le conservait dans le buffet de sa salle à manger. Quand j'étais petite, et même plus tard, adolescente, je le feuilletais souvent. Il me fascinait. C'était Denise qui l'avait constitué. Elle devait avoir quinze ans lorsqu'elle l'avait acheté. À la première occasion, elle le complétait.

Je me rappelle aussi que le cliché où nous figurons avait été tiré sur un de ces papiers aux bords dentelés en vogue à l'époque. Pourquoi l'a-t-on découpé ? Il semble cadré pour attirer l'attention sur quelque chose.

Je scanne la photo, je l'agrandis sur l'écran de mon ordinateur. Elle fut sans doute prise un jour de marché, une petite foule s'agite derrière nous.

Denise doit avoir vingt ans. Elle se tient très droite ; comme d'habitude, sa mise est soignée : veste blanche à manches kimono, foulard au cou – noué à la mode du temps, de façon faussement désinvolte –, pochette en guise de sac, jupe noire. De cette jupe, puisque la photo est coupée, on ne distingue que la partie supérieure.

Moi, je porte un kabig, un de ces cabans en drap de laine que les mères bretonnes aimaient alors à confectionner pour leurs enfants. Je le détestais. Ma mère l'avait taillé très large ; il était aussi trop long. J'avais regimbé. « Tu vas grandir », m'avait-elle asséné. « Je ne peux pas t'en payer un tous les ans, il faut qu'il fasse de l'usage. » Je flottais dedans, le kabig me tombait au milieu des mollets, j'étais morte de honte.

Je me réjouis qu'avec cette photo mutilée toute trace de ma honte ait disparu.

Je l'examine de plus près. Il s'agit d'un de ces clichés pris à la volée par les photographes ambulants qui partaient en maraude les jours de marché. Leurs cibles préférées étaient les femmes accompagnées d'enfants. Ils les mitraillaient à l'improviste puis leur fourraient un ticket dans la main : « Venez à ma boutique dans huit jours. La photo sera développée et ça vous fera un beau souvenir pour trois fois rien. »

J'ignore combien Denise a payé ce cliché mais pour le coup, oui, c'est un beau souvenir. Elle est rayonnante, parfaitement installée dans son corps. Une belle brune sûre d'elle-même et de son élégance. Lunettes dernier cri mais d'un dessin discret, cheveux coupés court, avec une frange mutine qui évoque celle d'Audrey Hepburn. À ses oreilles, des boucles fantaisie de la même couleur blanche que sa veste. Pas trop grosses, pas trop petites ; la bonne dimension, exactement.

Moi, à côté d'elle, je panique. À mon regard angoissé, je devine ce qui m'arrive quand je m'aperçois que le photographe va nous piéger : je veux détaler. Cependant Denise est ravie d'avoir été remarquée. Je transforme alors mon avant-bras en crochet et je m'agrippe à elle comme à une bouée ou un plat-bord de bateau. « Ne m'abandonne pas », disent ce poignet cassé, cette main contractée.

Je dois avoir huit ans sur cette photo. À cette époque-là, j'ai peur de tout. Il suffit que mes parents invitent un inconnu dans notre deux-pièces pour que je coure me cacher. Je refuse qu'on me voie. Je ne veux pas qu'on sache que je suis là, ni même que j'existe.

Je me dissimule sous les tables ou je file au grenier. Mon père s'égosille : « Irène, Irène, viens dire bonjour ! »

Ma mère, elle, ne crie pas. Il insiste : « Irène, Irène ! »

Je reste muette. Mais les jours où j'ai gagné le grenier, je finis par redescendre l'escalier sur la pointe des pieds et je colle l'oreille à la porte de la pièce où se trouvent mes parents. Ma mère va-t-elle parler de moi ?

C'est arrivé une seule fois. Je l'ai entendue dire à mon père – l'inconnu était toujours là : « Laisse tomber ! Tu la connais, c'est une froussarde. »

Il a répondu : « Non. Depuis quelque temps, elle est sauvage. Et elle crie la nuit. On va aller chez le docteur, je ne sais pas ce qu'elle a. »

Ma mère a répliqué : « Ça lui passera. C'est comme ça, les enfants, ça leur passe tout seul. »

Elle avait raison, ça m'est passé. À partir de mes neuf ans, plus de cauchemars, plus de fuites sous les tables. Mais je n'ai pas renoncé au grenier. Pendant des après-midi entières, je me suis inventé des mères imaginaires, tout comme maintenant je me fabrique un juge qui n'existe pas.

Pour me convaincre de l'existence de ces mamans de rêve, j'ai trouvé un support : dans les vieux magazines que ma mère entreposait là-haut, j'ai découpé des figures de jeunes femmes habillées à la dernière mode. Puis j'ai eu une nouvelle idée : je les ai mises en scène dans des histoires que je me racontais à mi-voix.

Face à cette photo démesurément agrandie sur l'écran de mon ordinateur, l'évidence me foudroie : ma sœur ressemble trait pour trait à ces mères de papier.

– Voyez par vous-même, dis-je maintenant à mon juge imaginaire.

Je lui tends la photo :

– Regardez son bras. Et le mien.

Il examine le cliché. Ainsi que je l'espérais, il ne peut plus s'en détacher. J'en profite pour lui vider mon sac :

– Après ça, il ne faut pas s'étonner que je veuille savoir à tout prix pourquoi et comment ma sœur est morte.

Il est sidéré de mon culot, ce magistrat sans visage que j'ai convoqué dans mon insomnie – si ça se trouve, d'ailleurs, c'est une magistrate ; elles sont maintenant majoritaires. Mais il ne proteste pas, il m'écoute.

Je lui décris la Denise de mon enfance. Une créature dotée de pouvoirs quasi divins, lui dis-je, il suffisait qu'elle apparaisse pour que je me croie au paradis. Quand elle était là, rien ne pouvait m'arriver, rien ne pouvait m'attrister. Ma mère, à la seule vue de sa fille aînée, ne se plaignait plus, ne ronchonnait plus. C'était soudain une femme joyeuse, inventive, pleine d'entrain ; et à sa suite mon autre sœur se métamorphosait. Au lieu de m'observer de son œil sournois, de guetter la première occasion de m'asticoter, de chercher la chamaille, elle devenait rieuse, pétillante, entreprenante. Elle cessait de jouer les Carabosse, imaginait des jeux incroyables, chantait, riait à perdre haleine. C'était la paix.

Et Denise avait l'art de désamorcer les disputes. Elle s'y prenait sans donner de la voix ni jamais abuser du prestige extraordinaire que lui valaient ses éblouissants succès scolaires. Je la dotais, du coup, de la même aura que les fées qui avaient protégé Cendrillon et la Belle au bois dormant. Ce n'était pas seulement mon imagination qui galopait, Denise était ma marraine pour de vrai. Le jour de ma naissance, quand le médecin avait estimé que je n'avais que quelques heures devant moi, ma grand-mère était allée la chercher pour qu'elle préside à l'ondoiement, ce baptême express censé m'épargner les flammes de l'Enfer quand j'aurais trépassé.

Elle n'avait que onze ans. Comment prit-elle l'irruption de ce bébé que personne n'attendait, sut-elle un jour que sa mère avait fait un déni de grossesse ? Mon père, en tout cas, qui apprit ma naissance en rentrant du travail, comprit que sa femme ne pourrait jamais s'attacher à ce bébé qu'elle n'avait pas vu venir. Il encouragea Denise à s'installer dans son rôle de marraine. Je n'explique pas autrement le sentiment qui m'habita dès ma prime enfance : avec elle, j'étais protégée jusqu'à la fin des temps.

Depuis que je lui ai tendu la photo, le fantôme de Denise est entré dans le bureau du juge. Il a la même apparence, celle d'une belle brune sûre d'elle-même et de son avenir.

Le magistrat saisit que Denise ne se résume pas aux clichés atroces qui figurent sur les documents de la police et le rapport d'autopsie. Ça lui en fiche un coup.

Mais pas de répit, j'enfonce le clou. « Vous ne pouvez pas imaginer à quel point Denise a compté pour notre famille. Pas seulement pour moi, pour nous tous. C'était la réparatrice des malheurs qui avaient saccagé la jeunesse de mes parents. Quand mon père est revenu de captivité, ma mère et lui n'avaient plus grand-chose en partage, sauf la conviction d'avoir subi des injustices monstrueuses. Ils se savaient intelligents mais tous les deux, lui à onze ans, elle à quatorze, avaient été "retirés de l'école", comme on disait en ce temps-là. Leur ADN, c'est le sentiment d'injustice. Je parle au présent parce que, d'une façon ou d'une autre, nous leurs enfants, ce sentiment nous habite tous. Alors ce meurtre, le silence sur ce meurtre… »

J'ai tellement besoin que mon juge prenne la mesure de ma colère que je lui fais une confidence. J'en ai trop gros sur le cœur ; un jour ou l'autre, il fallait que ça sorte : « Mes parents, quand ils ont compris que Denise était surdouée, se sont saignés aux quatre veines. Je les ai vus se sacrifier – c'était leur mot, ils le prononçaient comme le curé à la messe lorsqu'il disait "crucifier". Alors que Denise soit morte comme ça… »

Le juge a dû entendre ça cent fois, ça l'agace. Mais maintenant que je suis lancée, il ferait beau voir que je m'arrête : « Tant que je n'aurai pas compris quelque chose à ce meurtre – je ne demande pas la lune, seulement un minimum, le minimum judiciaire vital, si vous préférez –, je ne pourrai pas retourner sur la tombe de mes parents. »

Mon juge imaginaire se tait. Qu'a-t-il en tête ? Je l'ignore, il n'a pas de visage.

Quelle importance ? C'est moi qui suis aux manettes. J'abats mes cartes dans l'ordre, je dirige tout, scénario et dialogues.

Enfin pour l'instant, c'est monologue.

J'entraîne maintenant le juge dans une histoire qui ressemble à un vieux film noir et blanc. Je lui offre en somme une petite séquence nostalgic.

J'abrège le début, le bout de longère où grandit Denise lorsque son père, qu'elle n'a jamais vu, rentre de la guerre – elle a six ans. Mais comme mon magistrat n'a sans doute qu'une idée très vague de ce que fut la vie des Français à l'époque, je lui lâche quelques menus détails : le sol en terre battue de la pièce unique où l'on fait tout, dormir, cuisiner, manger, se laver ; le poêle qui ne chauffe pas ; le papier journal étalé sur la toile cirée de la table où Denise fait ses devoirs.

Je me cantonne à ça sinon il va penser que je la lui joue Zola. Je préfère aller tout de suite au cœur du sujet : les parents de cette gamine. Tous les deux, ils ont la religion des livres et pour credo le savoir ; ils pensent qu'il ouvre toutes les portes. Cette petite fille surdouée, c'est leur revanche. Surtout l'année de ses quatorze ans, lorsqu'elle réussit le concours d'entrée à l'École normale d'institutrices. « *Bara zur !* » s'extasie la tribu d'une même voix et en breton. Avec ce « pain assuré », reprennent-ils en chœur, elle aura une sacrée bonne paye, sans compter les trois mois de vacances et la grosse retraite. On n'a jamais vu ça dans la famille. En plus, une fille !

La voici reine. Une reine souriante, généreuse, gentille ; elle ne se pousse pas du col, elle ne frime pas.

À ce moment-là, ses parents ont déménagé dans un minuscule deux-pièces situé au fond d'une venelle. C'était impératif, ils ont deux enfants de plus. Encore des filles. Je suis la dernière.

Ma famille est un royaume en miniature. À sa tête, la fée Denise – quelle chance, c'est ma marraine. Juste en dessous, ses dévoués ministres, mes parents. Puis le reste de la tribu – nous, les petites sœurs, mais aussi les grands-parents, les tantes, les oncles, les cousins, tous béats d'admiration.

Notre mère a de la suite dans les idées. Denise est reine, elle doit être habillée comme une reine. Sa fille sera donc la réplique des femmes bien convenables dont les images peuplent son cher *Petit Écho de la Mode*, le magazine où je découpe mes mères de papier. Elle court les merceries et les magasins de tissus, négocie des coupons, récupère des boutons, du galon, jusqu'aux vêtements dont ne veut plus l'institutrice qui a repéré Denise. Le pédalier de sa machine à coudre bat tard dans la nuit. Elle ne sent pas la fatigue : « Ma fille » – c'est toujours ainsi qu'elle parle de son aînée, à croire qu'elle n'a pas d'autre enfant – « elle sera chic. Comme ça, à l'École normale, personne ne saura que nous, ses parents, on n'est que des petits. »

Je n'ai pas cinq ans mais j'ai déjà mon côté femme en manteau bleu-noir : j'enregistre tout. À moi aussi, ça paraît aller de soi que ma grande sœur soit la reine de l'École normale puisqu'elle est la reine de la maison.

Ma fée rejoint sa pension. L'École normale se trouve à Vannes. Soixante kilomètres à peine mais ça nous paraît le Kamchatka. Comme le train, c'est cher, elle ne revient que tous les trois mois.

Dès son premier retour, mon père l'abrutit de questions. Elle a un exposé de minéralogie à préparer ? Le dimanche suivant, avant l'aube, il enfourche son vélo, gagne les chemins secrets de la Bretagne centrale et revient la nuit suivante, exténué mais les sacoches de sa bicyclette bourrées d'échantillons de schiste, quartz, chiastolite, granit gris ou bleu. Elle étudie les coquillages ? Virée à la plage. Elle peine en botanique ? Il connaît les plantes ; ils s'en vont herboriser, elle aura le plus bel herbier de sa classe. Elle est nulle en gym ?

Il arrange ça. En deux dimanches, il érige un portique entre ses parterres de légumes et les clapiers où il élève ses lapins, y arrime une corde lisse, une corde à nœuds et des anneaux. Un an après, on ne peut pas dire que Denise soit devenue une championne olympique mais elle se défend. Puis il décide de lui acheter un Larousse du xxe siècle en six volumes. On vide le livret de Caisse d'Épargne.

Le plus beau des cadeaux, Denise le reçoit l'année où elle entre en première : mes parents lui offrent un cosy-corner, un de ces lits d'angle assortis d'une petite bibliothèque à vitrage coulissant. Ma fée-marraine y cale aussitôt ses précieux livres.

Puis elle reprend le train pour Vannes. Ce jour-là, comme je ne vais jamais très bien quand elle nous quitte, je passe toute l'après-midi au grenier à découper mes mères de papier.

Ce que je suis heureuse lorsqu'elle revient. Non seulement il y a la paix dans la maison mais sa valise est bourrée de cadeaux – « Elle touche déjà sa petite paye », se rengorge ma mère.

La plupart du temps, elle nous donne des livres. C'est ainsi qu'à huit ans, je découvre *Alice au pays des merveilles*, et l'année d'après, encore plus exaltée si c'est possible, une adaptation illustrée de *L'Iliade et l'Odyssée*.

Elle s'est aussi acheté un électrophone, un petit Teppaz que je n'ai pas le droit de toucher. Elle en manipule le bras avec un soin religieux ; il paraît qu'à la moindre maladresse, il pourrait rayer le disque. Quand elle le dépose sur ses microsillons, j'en ai la chair de poule.

Elle n'a que trois disques pour l'instant. Deux 45 tours – la « Petite musique de nuit » de Mozart et le concerto « L'Empereur » de Beethoven – et un 33, des airs russes du Ballet Moïsseïev. On les connaît par cœur mais chaque fois que la musique déferle dans la chambre-salle à manger où nous dormons, nous les trois sœurs, c'est le même miracle, les murs tombent, on est transportées ailleurs, on ne sait plus où on est ni qui on est. Jusqu'à ma mère qui en abandonne sa vaisselle.

Ma fée-marraine sait tout du monde du dehors, celui qui s'arrête à l'entrée de notre venelle et regorge de choses trop chères pour qu'on puisse se les payer : les réfrigérateurs, les radiateurs raccordés au chauffage central, les meubles de cuisine en formica turquoise ou jaune citron, les W.-C. avec chasse d'eau, tellement plus classe que nos rustiques cabinets dans un coin du jardin.

Denise le connaît bien, ce monde, la preuve : elle nage, elle boit du thé, elle met son rouge à lèvres sans le faire baver, elle tire ses bas nylon sur ses jambes sans les démailler, elle danse à la perfection. Je la vois parfois valser avec ma mère dans la cuisine. Elles ont repoussé la table et virevoltent dans de grands rires. D'autres jours, Denise lui montre comment danser le mambo, le cha-cha-cha.

Ma mère est aux anges. Denise, c'est vraiment *sa* fille. Moi pas mais je ne suis pas jalouse, c'est fantastique d'avoir une telle marraine. D'ailleurs c'est décidé : quand je serai grande, je ferai institutrice, moi aussi. Avec ma paye, comme elle, je m'achèterai un électrophone et des disques. Ensuite, je danserai. Je porterai des talons aiguilles, les mêmes qu'elle. Et je me passerai les ongles, tout pareil, au vernis transparent.

Un jour, ma mère nous annonce que Denise a son permis de conduire et qu'elle a décidé de s'acheter une Dauphine. On n'a pas de voiture, ça nous enthousiasme. Quel rêve, d'aller à la plage quand ça nous chante, sans être obligés d'attendre le car.

Un peu plus tard, nouvelle annonce : Denise veut devenir prof. Elle vient de l'apprendre à mes parents ; elle va s'inscrire à la fac de lettres de Rennes.

Rennes-Lorient, cent cinquante-six kilomètres, précise mon père. Ce n'est plus le Kamchatka mais la Lune. Je la regarde partir le cœur serré et je cours au grenier pour pleurer.

Elle ne nous oublie pas. Trois mois après, elle revient, inchangée, plus que jamais vernissée, le cheveu laqué, l'air de sortir d'une boîte avec sa jupe droite impeccable et ses bas nylon tirés au cordeau. De sa valise, elle extrait des disques de jazz, puis d'autres où figure la photo d'un chanteur qui s'appelle Jean Ferrat – pour moi, inconnu au bataillon. Elle délaisse *Le Petit Écho de la Mode*, elle préfère *Elle*. Elle se plonge aussi dans des journaux dont j'ignore tout, *L'Express*, *Le Canard enchaîné*. Elle rapporte enfin de nouveaux livres, qu'elle range avec son soin habituel dans la bibliothèque de son cosy.

Ce lit magique, j'ai obtenu d'y coucher quand elle n'est pas là. Avant de m'endormir, j'ouvre ses livres. Leurs titres n'ont rien d'engageant : *La Condition humaine*, *Le Quart Livre*, *La Peste*, *La Cousine Bette*, *Du côté de chez Swann*, *La neige était sale*, *Les Rougon-Macquart*. Je n'en ai pas lu dix phrases que je me décourage. Je n'arriverai jamais à la cheville de Denise. Je n'ai plus envie de grandir.

Je grandis quand même. Ça ne se passe pas si mal. À dix ans, j'entre au lycée. Et à douze, en section latin-grec.

C'est cette année-là, je crois, où j'apprenais le grec, que la vie de Denise s'est détraquée. Mon père, un soir, a pris le train pour Rennes. Quarante-huit heures après, il la ramenait à la maison. Elle s'est aussitôt couchée dans le cosy.

Elle y est restée pendant des jours. Elle dormait. Quand elle se réveillait, c'était pour prendre des cachets.

J'ai demandé à ma mère ce qu'elle avait. « Dépression », a-t-elle répliqué, dents serrées.

Le mot m'était inconnu : « Ça veut dire quoi ? » Elle a cette fois baissé la voix : « Les nerfs. » J'ai alors compris qu'il ne fallait pas dire un mot de ce qui lui était arrivé.

Denise, elle, quelques années après, je devais avoir quinze ans, n'a pas craint d'évoquer avec moi ces semaines étranges. Ça m'a surprise qu'elle en parle ouvertement ; pour ma mère, sa dépression restait un secret. C'était la première fois – ce fut d'ailleurs la dernière – qu'elle me faisait une confidence ; et une longue confidence.

Je l'entends encore : « Tu te rappelles, l'année où je suis tombée malade, quand je suis restée à la maison pendant un mois ? Je dormais presque tout le temps, sauf à la fin de l'après-midi à ton retour de l'école. Tu apprenais tes leçons, je t'écoutais les réciter à haute voix. C'étaient des déclinaisons grecques. Elles ressemblaient à une chanson, j'aimais ça. Ça me berçait, ça m'apaisait. »

Je me souvenais très bien de ces récitations, mais je n'avais jamais soupçonné qu'elle m'avait écoutée. Ni le bien que ça lui faisait.

Un matin, elle a préparé sa valise. Elle retournait à la fac.

Ma fée-marraine n'avait rien perdu de ses dons : deux ans plus tard, elle était prof. On l'a nommée dans le Nord, puis en Mayenne.

Elle ne revenait que pour les vacances. D'année en année, elle se fermait davantage. Un jour, je l'ai surprise à pleurer. Elle m'a aussitôt tourné le dos.

Puis, sans qu'on s'en aperçoive, elle a espacé ses visites. J'ai encore questionné ma mère. « Elle fait sa vie, il faut la laisser », a-t-elle tranché. « Elle finira par se trouver un mari, seulement elle doit se dépêcher, elle a déjà vingt-cinq ans. »

Marier sa fille, c'était maintenant son obsession. J'avais l'impression que leurs liens s'étaient distendus. Je n'étais sûrement pas la seule dans la tribu à l'avoir remarqué : un dimanche, lors d'une fête de famille, pendant que les hommes jouaient à la pétanque au fond du jardin et que ma mère les avait rejoints pour leur servir une liqueur, ma tante Suzanne et ma tante Mado ont eu un petit aparté là-dessus. D'après Suzanne, ma mère n'était plus la même depuis qu'à l'approche de la quarantaine elle avait mis au monde deux nouveaux enfants, un fils et une fille. Mado a renchéri : « C'est vrai. Avec les petits, Simone s'est offert une autre vie. Et puis elle a déménagé. Elle a maintenant une belle maison, tout le confort moderne. Alors Denise, tout ce temps-là, c'est loin. »

J'ai trouvé que c'était bien vu. Ma mère, quand elle évoquait les années passées dans le deux-pièces de la venelle, en parlait désormais comme d'une époque extraordinairement reculée. Elle avait toujours les mêmes mots, une phrase assez belle, d'ailleurs, de celles qu'on trouve au début des contes : « C'était l'époque des trois filles que j'ai eues si longtemps. » Elle avait tourné la page.

Un jour, Denise est revenue avec un fiancé. Un ingénieur, tout le monde a été bluffé. Il était sympathique, assez drôle et très organisé.

« Je crois que c'est le bon ! » a jubilé ma mère, qui rêvait déjà tralala, banquet, amour, délices et orgues.

Les fiancés venaient nous voir de temps à autre. Ma fée-marraine restait la même, attentive, généreuse. Elle s'était aperçue que je devenais coquette ; elle m'a offert un nécessaire de toilette. Design suédois, très chic, je l'ai toujours.

Une autre fois, comme elle venait de remarquer que j'abrutissais mes amies de courriers, elle m'a acheté un somptueux coffret de papier à lettres. Il était recouvert d'une soie imprimée d'un motif représentant une geisha. Elle aussi, cette boîte, je l'ai encore.

La bibliothèque du cosy, à cette époque, s'est remplie de livres d'art. Des éditions modestes mais passionnantes : *Les Impressionnistes*, *Picasso, l'homme et l'œuvre*, *Degas*, *Histoire de la mode française*.

Puis son fiancé est parti au service militaire. Chaque fois qu'elle rentrait elle était seule. Elle parlait peu de lui. Tout ce qu'on savait, c'est qu'il était coopérant au Sahara. Elle lui écrivait, lui confectionnait des cakes qu'elle emballait de papier d'aluminium avant de les lui poster.

J'avais maintenant ma chambre à moi. Quand elle venait, elle partageait mon lit. Elle lisait toujours autant. Moi aussi, je lisais beaucoup ; mais les après-midi de chaleur où je rêvais qu'elle prenne la Dauphine pour m'emmener à la mer, elle m'exaspérait. Je n'osais pas lui dire que j'en avais assez, d'être confinée dans cette chambre. À quinze ans, elle restait à mes yeux la fée-marraine qu'il ne faut surtout pas déranger.

Je me morfondais. Mais le miracle, immanquablement, se produisait : elle levait le nez de son livre, jetait un œil à la fenêtre et déclarait : « Il fait beau, on va à la plage. »

Elle ne me demandait pas si j'étais d'accord, elle savait que, dans la seconde, je bondirais sur le panier d'osier de ma mère pour y entasser pêle-mêle de la crème solaire, des fruits, des crêpes, du soda, deux serviettes et pour finir, le livre qu'elle lisait et le mien.

Elle savait aussi que ma mère ne s'opposerait pas à cette escapade. La fée-marraine décrétait : « On part », et on était parties.

Il y a une dizaine d'années, Denise m'a envoyé une photo qu'elle avait prise de moi une de ces après-midi. Un cliché en Kodachrome. Je dois avoir quinze ans. Je suis en maillot de bain. Derrière moi, des maisons de la côte lorientaise, celles de la plage du Pérello, je pense.

Tout est franc dans cette image. Les couleurs, le ciel d'un bleu hollywoodien, mon maillot à rayures orange et jaune citron. Pas de mise en scène ; elle m'a prise comme j'étais, à demi allongée sur une serviette froissée. Derrière moi, échoué sur le sable, le panier d'osier. J'éclate d'une joie claire ; je me sens revivre, je suis si heureuse que Denise m'ait emmenée à la plage. Jusqu'à la fin de l'après-midi, on ne se dira pas grand-chose sauf « Passe-moi de la crème », « L'eau est bonne », « La marée monte », mais on sera ensemble, rien que nous deux sous le soleil, personne pour nous déranger, personne pour nous séparer.

Ça m'a fait un plaisir fou qu'elle m'envoie cette photo. Elle l'avait assortie d'un mot. Il était bref mais affectueux. Elle ne m'avait pas écrit depuis sa maladie.

Je lui ai aussitôt répondu. Je l'ai remerciée, je lui ai dit de m'appeler. Elle ne l'a pas fait. Et plus jamais écrit.

Avait-elle joint à son envoi l'étui à diapositives qui renfermait le cliché du photographe ambulant où nous figurions côte à côte ? Est-ce ainsi qu'il s'est retrouvé chez moi ? Je ne m'en souviens pas ; c'est possible. Si c'est le cas, je n'y ai pas prêté attention, d'autant que la photo, une fois découpée, était devenue minuscule. J'ai dû penser à une bizarrerie de plus.

Bizarrerie, au fait, est-ce le mot juste ? Si les gestes étranges de Denise étaient sa façon d'exprimer ce que ses mots échouaient à dire ?

Mon juge bout sur place. Maintenant il la situe, Denise. Il grille que j'en arrive au fait : pourquoi et comment cette fée-marraine, qu'à m'en croire j'aimais tant, ai-je brusquement cessé de la voir ? Parce que j'ai bien coupé tout contact avec elle, non ?

Je le reconnais. Je n'ai pas le choix : le juge a compris que j'ignore presque tout de la vie qu'a menée Denise entre son mariage et sa mort.

« Ne vous impatientez pas », lui dis-je. « Ça ne s'est pas fait comme ça. »

Le juge me trouve un peu insolente mais ma rupture avec Denise l'intrigue, il se laisse faire. J'embraye alors sur une scène qui s'est déroulée l'été de mes seize ans, si je me souviens bien. Mon père n'est pas rentré du travail que ma mère lui tend une lettre de Denise : « Elle s'est mariée. Elle ne nous a même pas prévenus. »

À la lettre ont été jointes des photos du mariage. La cérémonie a été réduite au strict minimum : son mari, deux témoins. Un cliché montre les mariés attablés devant une bouteille de champagne. La lettre précise qu'ils sont partis en voyage de noces en Provence, du côté d'Avignon.

Comme mes parents, je suis atterrée. Pourquoi Denise s'est-elle mariée sans nous prévenir ? Ma fée-marraine ne doit plus tourner très rond.

Sur les photos, malgré tout, elle a l'air heureuse. Son mari aussi. Il peut être fier, elle est jolie et, à son habitude, élégante. Elle porte un petit tailleur blanc inspiré de Courrèges et un chapeau dans le même style.

Par la suite, chaque fois que j'ai revu ces photos, je les ai retournées. Elles me rappelaient le visage plombé de mes parents quand ils les avaient découvertes.

Mon juge devient soupçonneux. Il ne comprend toujours pas pourquoi Denise et moi avons rompu nos liens. Il me le dit.

Je réplique : « C'est normal. Il faut que je vous parle un peu de moi. J'avais une place à part, dans cette famille. »

Les mots « place à part » le font sourciller. C'est l'occasion que j'attendais pour lui expliquer ce qui s'est passé après le mariage de Denise. Dans les semaines qui ont suivi, je me suis sentie effroyablement seule. Je n'ai eu qu'une idée en tête, partir, moi aussi, fuir ma famille. J'adorais mon père mais il était très absorbé par son travail ; quant à ma mère, Suzanne et Mado ne s'étaient pas trompées, elle ne vivait plus que pour ses jeunes enfants. Elle ne cachait même pas qu'elle était pressée de me voir « débarrasser le plancher », c'était son mot. Mon bac en poche, je suis partie. Comme Denise, pour faire des études de lettres à Rennes.

C'est là qu'un grain de sable a grippé la machine. Au bout de deux mois, j'y ai rencontré celui qui est devenu mon mari. Un coup de foudre. Deux ans plus tard, j'avais un bébé, je vivais à Paris et je me préparais à devenir prof de lettres. Toujours comme Denise.

Elle, elle devenait de plus en plus étrange. Elle s'était installée à vingt-cinq kilomètres de chez moi, dans la maison de l'impasse, et elle n'était pas venue à mon mariage. Son absence m'avait attristée mais j'ai décidé de passer outre. À la première occasion, je l'ai invitée. Elle a accepté. Seulement pour le thé, a-t-elle précisé.

Un dimanche après-midi, elle m'a donc rendu visite avec son mari. Lui n'avait pas changé – enfin, il ne m'a pas semblé. Elle, en revanche, était sombre. Durant ces deux heures, elle n'a quasiment rien dit. Je pouvais la relancer tant que je voulais, lui parler par exemple de ses enfants, elle répondait du bout des lèvres. Et elle n'arrivait pas à me regarder en face. Ses yeux filaient toujours ailleurs, une fenêtre, un angle de la pièce. Puis elle s'est mise à fixer la porte : « Maintenant, il est tard. » Cinq minutes après, son mari et elle étaient partis.

En ce temps-là, les gens s'écrivaient beaucoup. Les portables n'existaient pas ; on attendait parfois des années avant d'obtenir une ligne téléphonique. Denise en avait une, pas moi. On s'envoyait des lettres.

Elle me répondait de moins en moins. Puis un jour, elle m'a écrit qu'elle voulait me voir. Elle m'a donné rendez-vous à Paris. Dans un café, a-t-elle décidé, pas chez moi. Elle n'est jamais venue.

Ça s'est reproduit. Elle m'a proposé un nouveau rendez-vous, toujours dans un café. Le jour dit, elle n'est pas venue. Il faut croire que je voyais toujours en elle une fée-marraine dont les désirs étaient des ordres, encore une fois je n'ai pas protesté. Je lui ai simplement demandé des explications. Pour toute réponse, elle m'a fixé un troisième rendez-vous à Paris, au Tabac de la Sorbonne – ça m'a marquée.

Nouveau lapin. J'aurais pu tenter de la joindre depuis la cabine téléphonique du café, je ne l'ai pas fait. Le plus extravagant, c'est qu'au lieu de fulminer, je me suis demandé : « Qu'est-ce que je lui ai fait ? »

Mais une fois rentrée, j'ai changé du tout au tout : « Maintenant ça suffit, je laisse tomber, je n'ai pas de temps à perdre. » C'était vrai. Entre mes cours, ma famille et le livre que j'avais commencé, le premier, dont j'étais à la moitié, je ne savais plus où donner de la tête.

Denise ne m'a pas écrit pour s'expliquer. J'ai renoncé à comprendre et désormais, je me suis bornée à lui envoyer des cartes de vœux ainsi que mes livres à leur sortie.

Jamais de réponse.

De temps à autre, tout de même, je calculais : « Combien de temps depuis qu'on s'est vues ? », et je me rappelais que la dernière fois, ma fille n'avait pas un an. C'était la fin du printemps, les fils de Denise avaient joué avec elle à l'arrière du pavillon, tout près du bois qui jouxtait son jardin.

De la maison, je ne gardais qu'un souvenir flou. Je revoyais l'impasse qui menait chez elle, les arbres, les massifs qui jalonnaient la pelouse, le portique installé pour ses fils ; et à l'intérieur du pavillon, une cuisine, un long couloir, une grande pièce éclairée par de larges baies vitrées.

Maintenant que j'y réfléchis, ce fut la dernière fois que je franchis le seuil de la maison de l'impasse.

J'ai du mal à poursuivre. Mon juge s'énerve :

– Vous reculez continuellement le moment de vous expliquer. Vous avez quelque chose sur la conscience. Vous vous sentez coupable, ou quoi ?

Alors moi aussi, je m'énerve :

– Ça n'est pas parce que je me sens coupable que je le suis.

Et là, je lui dis ce qui n'a jamais été dit, ce qui ne pouvait pas être dit.

Au début de mes explications, c'est plus fort que moi, je parle en accusée. Je plaide que tout ça, c'est quand même de l'histoire ancienne, j'avais alors trente-quatre ans. Depuis ce temps-là, il a coulé de l'eau sous les ponts ; je n'en étais qu'à mon troisième livre, c'est dire. Il faut me consentir une marge d'erreur. J'ai gardé une mémoire très nette de ce qui est arrivé mais le passé est une matière malléable et je suis comme tout le monde : sans m'en apercevoir, je recompose mes souvenirs, je les brasse, les façonne, les refaçonne. Il va falloir faire avec. Je suis cette mémoire, je suis ce passé.

Plus je parle, plus je me sens coupable. Ça doit se voir mais ça n'y change rien : si c'était à refaire, je le referais.

Je le dis au juge. Ça l'exaspère, il me lance : « Allez au fait ! » Je ne peux plus reculer.

C'était en mai. Il faisait très beau. Un matin j'ai reçu une lettre d'une de mes sœurs. Dès la première ligne de ce courrier, j'ai entendu la voix de ma mère. Si elle ne l'avait pas dictée, cette lettre, elle l'avait largement inspirée.

Denise, me disait-on, avait des « crises ». Quelle était leur nature, on ne le précisait pas. On m'apprenait seulement qu'à plusieurs reprises, elle avait été internée dans des hôpitaux psychiatriques ; comme elle était ma marraine, c'était à moi de la sortir de là.

De là, mais de quoi ? Et comment ? Quelques lignes après, la lettre donnait la réponse : il suffisait que j'aille voir son médecin, il me dirait de quoi souffrait Denise et il me donnerait la solution.

Rien de plus facile, soulignait-on : elle allait mieux, elle était rentrée chez elle. Toutes les semaines, elle rencontrait son médecin dans un dispensaire situé dans une ville voisine. Je devais prendre rendez-vous avec lui. On me simplifiait la tâche : on me fournissait son nom, ses horaires de consultation, l'adresse du dispensaire et son numéro de téléphone.

Ma fée-marraine en hôpital psychiatrique ? Et des crises ? Des crises de quoi ? Le courrier n'en soufflait mot. On lâchait seulement qu'elles avaient commencé deux ans plus tôt.

Première nouvelle. Personne ne m'avait avertie. Mais peut-être ma famille n'avait-elle rien su de ces crises lorsqu'elles s'étaient déclenchées. Ce qui impliquait que le mari de Denise n'ait pas prévenu mes parents. Ils ne se parlaient plus, alors ? Ils étaient fâchés ? En ce cas, comment l'auteur de la lettre savait-il que Denise allait mieux et qu'elle était rentrée chez elle ? Encore une fois, en quoi étais-je fondée à la « sortir de là » ?

Les derniers mots de la lettre m'ont interloquée. On ne me demandait pas que je voie le médecin de Denise, on l'exigeait. Au motif que j'étais *concernée*. En quoi étais-je concernée ?

Et pas question de discuter. On était formel : « Tu es sur place, c'est à toi de le faire. »

En effet, ma famille habitait toujours en Bretagne, et moi à vingt kilomètres du dispensaire dont on m'indiquait l'adresse. Mais pourquoi ces manières d'adjudant, pourquoi souligner que j'étais impliquée dans ces crises ? Elles ne dataient pas d'hier, à ce que je venais de lire.

J'ai bondi sur mon téléphone et j'ai appelé ma mère.

Lorsqu'elle a reconnu ma voix, elle a pris le ton plaintif qu'elle avait toujours lorsqu'elle manigançait quelque chose. Ça ne m'a pas arrêtée. Je l'ai sommée de s'expliquer.

Peine perdue. À chacun de mes « pourquoi ? » elle a invariablement répondu : « Je ne sais pas. » Je n'ai obtenu qu'une seule réponse précise, au moment où je l'ai questionnée sur les crises de Denise :

– Elle voulait te sauver de ton éditeur.

– De mon éditeur ?

– Oui, elle avait placé une valise dans l'entrée de sa maison. Elle disait qu'elle allait partir te sauver.

– Me sauver de quoi ?

Évidemment, elle ne savait pas. Mais pour une fois elle s'est défendue :

– Et puis ce n'est pas moi qui ai écrit la lettre.

– Ne va pas prétendre que tu n'étais pas au courant !

Elle n'a plus su que dire. J'en ai profité :

– Et toi, ce médecin, pourquoi tu ne vas pas le voir ? La malade, après tout, c'est ta fille.

– C'est à toi d'y aller.

– Pourquoi moi ?

Même argument que dans la lettre :

– Tu es sur place. Et Denise est ta marraine.

J'ai alors abattu ma dernière carte : mon père. Un homme droit, lui, sans détour, courageux. Je ne pouvais pas imaginer qu'il ait trempé dans les manigances :

– Papa, il en dit quoi ?

Le silence s'est éternisé. J'ai bien cru que je l'avais coincée. C'était tout le contraire : je l'avais tirée d'affaire. Elle a éclaté :

– Tu ne vas quand même pas faire ça à ton père !

Il n'était sans doute pas au courant de la lettre. Ni de la maladie de sa fille, si ça se trouve. Il fallait quelqu'un pour lui annoncer la mauvaise nouvelle ; on avait décidé que ce serait moi.

J'ai capitulé. Le jour même, j'ai pris rendez-vous avec le médecin.

La veille, je n'en mène pas large. J'appelle un ami qui achève son internat de médecine.

Je n'ai pas terminé mon histoire qu'il m'interrompt : « Passe me voir. » Deux heures après, je suis à l'hôpital.

Avec cet ami, je me sens en sécurité. À la fin de mon récit, je lui tends la lettre. Il prend son temps pour la lire. Puis m'interroge :

– Tu as accepté ?

– Oui.

– Je peux te demander pourquoi ?

– À cause de mon père.

– Le médecin de ta sœur va t'opposer le secret médical.

– J'y ai pensé. Mais ma mère…

Il finit à ma place :

– Elle te fait du chantage.

Je m'agace :

– Ce n'est pas nouveau.

Il relit la lettre.

– C'est quoi, les crises de ta sœur ?

– Je n'en sais trop rien. Elle aurait vécu toute une période avec une valise auprès d'elle. Elle voulait quitter sa famille, paraît-il, pour me sauver de mon éditeur.

– Te sauver ?

– C'est ce que ma mère m'a dit.

– Qu'est-ce qu'il y avait dans cette valise ? Ta sœur était violente ?

– Je ne l'ai jamais connue violente. Et pour la valise, c'est comme le reste, je ne sais rien.

– Ta sœur est mariée ?

– Oui.

– Son mari communique avec tes parents ou pas du tout ?

– Je le connais mal, je ne l'ai pas appelé. Et puis, si ma sœur décroche…

– Et lui, son mari, il t'a appelée ? Il t'a écrit ?

– Non.

– L'adresse du médecin, la sœur qui a rédigé la lettre, elle l'a trouvée où ?

– Je t'ai dit, je n'en sais rien ! Tout ce que je flaire, c'est que mon père n'est pas au courant de ce courrier ni de la maladie de ma sœur. Il leur fallait quelqu'un pour lui annoncer la mauvaise nouvelle et c'est tombé sur moi.

– Il leur fallait aussi une coupable et c'est tombé sur toi.

Sa phrase m'anéantit.

– Je n'aurais pas dû accepter.

– De toute façon, ce médecin ne trahira pas le secret médical. Au mieux, tu peux l'interroger sur le traitement de ta sœur mais il n'est pas tenu de répondre.

Il réfléchit quelques instants :

– Demande-lui si elle prend du lithium. Tu verras bien.

Lithium, j'enregistre.

– Reviens me voir quand tu lui as parlé. Tu me promets ?

Je promets.

Maintenant, ce qui s'est passé le lendemain. Mon rendez-vous avec le médecin de Denise.

Il a été fixé à dix-sept heures. Le temps, depuis que j'ai reçu la lettre, n'a pas changé : magnifique.

J'ai pris ma voiture – je me souviens, une 104 vert tilleul. Je vais beaucoup mieux que la veille. Cet après-midi, je suis sûre de m'en sortir.

Plus j'approche de la ville où se trouve le dispensaire, plus je me confonds avec cette certitude. On n'aura pas ma peau, je suis déjà passée par là. Quand ? Je ne veux pas savoir.

La vie, de toute façon, a pris mon parti : il suffit de voir le ciel, les jardins en fleurs, l'autoroute délestée, comme par magie, de ses embouteillages. Pas moyen de se garer dans la rue où se trouve le dispensaire, elle est trop étroite, mais décidément, aujourd'hui, tout me sourit : l'avenue voisine regorge de places. Je serai à l'heure.

Et tout s'enchaîne tambour battant. Sitôt entrée dans le bâtiment, je tombe sur le médecin. J'ai l'impression qu'il me connaît, il m'accueille d'un : « Ah, c'est vous. » Un homme brun, la quarantaine. Il est assez grave mais il a le regard franc.

Il m'introduit dans son bureau. La pièce est exiguë, basse de plafond, très dépouillée : murs nus, une table, deux fauteuils. Ça n'empêche pas qu'aussitôt je gamberge : c'est donc ici que Denise raconte sa vie, confie ce qu'elle n'a jamais dit à personne ?

Le médecin doit être pressé, il me lance :

– Alors ?

Un autre jour, j'aurais été heurtée. Pas aujourd'hui. Je me fais aussi directe que lui :

– Je suis venue ici contrainte et forcée. J'ai reçu ce courrier d'une de mes sœurs.

Je lui tends la lettre. Il s'en empare. Comme mon ami interne, il la lit avec soin. Puis il relève la tête, me dévisage et répète :

– Alors ?

– Vous avez lu : on me somme de sortir d'ici avec un diagnostic.

– Le secret médical me l'interdit.

– Je sais. Seulement j'ai appelé ma mère et elle n'en démord pas, elle veut savoir de quoi souffre sa fille.

– Pourquoi n'est-elle pas venue me voir ?

– Elle ne veut pas se déplacer. Il faut que ce soit moi.

– Et votre père ?

– Je ne serais pas étonnée qu'il ignore que sa fille est malade. Mais ma mère, elle…

– Je vous répète, je suis tenu par le secret.

– Et si je vous demande : « Ma sœur prend-elle du lithium ? », pouvez-vous me répondre ?

Ma question le déconcerte. Il me dévisage un long moment puis se décide :

– Elle en prend.

– Et sur l'origine de cette maladie, vous pouvez… ?

Il pointe la lettre, sourit :

– Vous n'êtes en rien concernée.

Il semble soulagé. Et pressé d'en finir.

Je pourrais en rester là. Mais moi, pour me sentir soulagée, il m'en faut beaucoup plus. Je poursuis :

– Si je vous dis : « À partir de maintenant, c'est moi qui suis en consultation », vous acceptez de m'écouter ?

– Pourquoi pas ?

C'est à mon tour d'être désarçonnée. Je ne trouve plus mes mots. Il sourit encore :

– Alors ?

– Alors cette lettre que j'ai reçue… Elle m'accuse, non ?

– Il y a de ça.

– Vous êtes sûr ?

– Sûr et certain.

Ça doit se voir, que je continue à douter. Il devient plus prolixe :

– Vous n'étiez pas née. Votre père était à la guerre, votre sœur ne le connaissait que par des photos. Elle vivait en fusion totale avec votre mère. Les deux ne se quittaient jamais. Elles dormaient dans le même lit, par exemple. Votre père, à son retour, lui a fait l'effet d'un intrus. Et votre mère, vraisemblablement, n'a pas bien vécu ce retour, elle non plus. Ensuite, quand votre sœur a voulu construire sa vie, les choses ont été très compliquées. Ça ne se voyait pas encore, elle donnait le change. Mais j'arrête là. C'est déjà beaucoup, ce que je viens de vous révéler.

– Je comprends mais la question est ailleurs. Pour ma mère, pour la sœur qui m'a écrit et qui, à mon avis, n'est que son porte-voix, c'est moi qui suis responsable des « crises » de Denise. J'ai l'impression qu'elles en sont absolument convaincues. Comment les persuader du contraire ? Et qu'est-ce que j'ai fait ? Ça fait des années que Denise était bizarre avec moi, sans que je sache pourquoi…

– Ne cherchez pas, ça ne sert à rien.

– Mais ces fameuses crises… Cette histoire, par exemple, dont m'a parlé ma mère. Vous êtes sûrement au courant, elle voulait me sauver de mon éditeur.

Pourquoi mon éditeur, pourquoi me sauver ? Et de quoi ? Qu'est-ce que mon métier a à voir avec ça ?

Il se carre encore dans son fauteuil. Même si sa voix reste égale, ce qu'il me répond m'anéantit :

– Fuyez. Ne revoyez pas Denise. Ni votre famille.

– Mais c'est impossible ! Et mon père… Je ne pourrai jamais !

– Au moins, fuyez toute réunion de famille.

Cette fois, sa voix est sèche. Il a fiché ses yeux dans les miens. Je me demande ce qu'il sait.

Je soutiens son regard. L'idée m'effleure de le sommer de s'expliquer. J'y renonce tout de suite ; et comme j'ai compris qu'il va encore m'opposer le secret médical, je me lève :

– Je vous dois combien ?

– Rien.

L'instant d'après, j'étais sortie. Je me souviens de mon retour. La lumière, au-dessus de l'autoroute, était toujours aussi limpide. Je me sentais étrangement soulagée. Par moments je pleurais ; à d'autres, je riais. Je pleurais quand je pensais : « Je n'ai plus de famille. » Et si je riais, c'est que je me disais : « Maintenant, je suis libre. »

Le lendemain, je suis retournée voir mon ami interne à l'hôpital. Dès qu'il m'a aperçue, il a souri : « Tu vas mieux ! » J'ai répondu : « Je crois », et je lui ai tout raconté de ma visite au dispensaire.

Il m'a alors expliqué que Denise souffrait sans doute de troubles bipolaires – cette définition n'existait pas à l'époque, il a parlé de « syndrome maniaco-dépressif ».

Il s'exprimait maintenant en médecin. Il ne disait plus « ta sœur » mais « le sujet ». D'après lui, ledit sujet pouvait devenir très violent. Il arrivait aussi qu'il retourne cette violence contre lui. Le traitement stabilisait les troubles mais ils ne disparaîtraient jamais tout à fait. Quant à l'origine du mal, on n'en savait trop rien.

Puis il s'est inquiété :

– Qu'est-ce que tu as décidé, pour ta famille ?

– Je pense que je reverrai mes parents. Si je rompais, ce serait un tel crève-cœur. Pour mon père. Ma mère, elle, pleurnicherait. Pour la forme.

– Tu as pris ta décision ?

– Je crois.

– Pourquoi dis-tu « Je crois » ? Tu n'es pas sûre ?

Je lui ai avoué qu'un point me tourmentait dans ce que m'avait dit son confrère :

– J'aimerais savoir pourquoi il m'a conseillé de fuir ma famille. Je ne sais pas ce qui m'a pris, je suis partie sans le lui demander.

– Tu étais soulagée.

– C'est sans doute vrai, mais pourquoi au juste ?

– À demi-mot, il t'avait fait comprendre que dans le cas de ta sœur, il y a danger. Pas seulement pour elle, pour toi.

– Pour moi ? C'est justement ce que je ne comprends pas ! Denise et moi, on ne s'est jamais disputées. Au contraire, elle m'a toujours protégée. C'était mon modèle, je l'aimais, je l'adorais ! Elle aussi, elle m'aimait ! Si on se revoyait… Qu'est-ce que je risque ?

– Apparemment, son médecin a jugé bon de ne pas te le dire.

– Alors toi, dis-le !

À cet instant-là, il a marqué un long silence. Je n'en voyais pas la fin. Puis, comme il se serait jeté à l'eau, il a soupiré :

– Tu sais, dans cette maladie, on s'en prend souvent à ceux qu'on aime. Et quelquefois *d'abord* à ceux qu'on aime.

Je suis restée une bonne minute clouée à ma chaise.

Un point m'étonne, quand j'y repense : au moment de mon départ, ça s'est passé comme avec l'autre médecin. Je ne lui ai pas demandé de s'expliquer. Je l'ai remercié, je me suis levée, on s'est embrassés et je suis sortie.

Ensuite, je me vois, ou plutôt je m'entends appeler ma mère, lui annoncer que j'ai vu le médecin de Denise.

Si mon père ne sait rien de la maladie de sa fille, peut-être a-t-il l'écouteur du téléphone à l'oreille. Je fais de mon mieux pour aménager la vérité. Et je reprends à mon compte ce que j'ai appris. Oui, Denise est malade. Si elle prend ses médicaments, elle s'en sortira. C'est une maladie mentale, on la connaît mal mais on sait au moins que personne n'est coupable. Ni eux, ses parents, ni le mari de Denise, ni qui que ce soit. Ce sont des choses qui arrivent et ce mal-là est loin d'être le pire. Du moment que Denise prend son traitement, ça ira.

J'édulcore. Je veux la paix, je tiens à revoir mon père. Donc je tais le reste, je ne leur dis pas que, dorénavant, je fuirai les réunions de famille. Ni que je ne reverrai pas Denise. Car je le ferai. Pour la protéger, ma fée-marraine. Ce sera mon tour.

Voilà, j'en ai fini. Mon juge d'instruction imaginaire sait tout. Je vais pouvoir m'endormir.

D'ailleurs, comme un château de sable sous les assauts de la marée, ce magistrat-pantin perd déjà consistance. Il s'effrite, se morcèle. Bientôt il n'en restera rien.

Je me laisse un moment flotter dans l'entre-deux qui sépare la veille du sommeil. Quelques souvenirs s'y attardent encore. Les uns sont flous ; d'autres, en revanche, très nets. Je me revois ainsi dans la maison de mes parents, leur demandant des nouvelles de Denise. C'est ma mère qui répond.

Ces réminiscences se recouvrent, s'enchevêtrent. Un jour, j'apprends que Denise n'enseigne plus, un autre qu'elle a divorcé puis que ses fils, qui ont maintenant une vingtaine d'années, sont entrés comme elle à l'Église évangélique.

Ma mère ironise sur sa conversion. Mon père, pour une fois, intervient : « Si cette Église lui fait du bien, tant mieux ! Qu'est-ce qu'il te faut de plus ? »

Il quitte la table, sort, gagne le jardin. Il prend la fuite, lui aussi.

J'ai l'impression que Denise ne revoyait guère mes parents. Après leur mort, j'ai retrouvé quelques photos d'elle. Aucune n'est postérieure à son mariage, sauf une. Elle marche au côté de notre mère sur un chemin de forêt.

Elle doit avoir la soixantaine. La mère et la fille affichent le même sourire réjoui qu'aux temps lointains de la guerre. Impossible de soupçonner ce qui s'est passé vingt ans avant.

4

Rage. Et ravage

Mai est là. Puis la fin mai. Toujours pas de nouvelles du dossier. J'appelle l'avocat.

Il est débordé, il me rappelle à la mi-juin. Je lui confie les doutes que je lui ai tus lors de notre dernière rencontre :

– Si le meurtre de Denise était classé sans suite ?

– Je vais y veiller, m'assure-t-il.

Il redisparaît. Et une vingtaine de jours plus tard, réapparaît. Il m'écrit un mail. Un nouveau surcroît de travail, s'excuse-t-il.

Entre-temps, sa position sur notre affaire a changé. Il considère maintenant qu'une demande de constitution de partie civile serait prématurée. D'après lui, je m'égarerai dans un nouveau labyrinthe.

Il me le décrit. Son ton est posé. N'empêche, j'en ai froid dans le dos. Je me retrouverai en quelque sorte au cœur d'un Jurassic Park où je tomberai sur un de ces monstres poussifs qui pullulaient à l'ère tertiaire. Front butor, pattes éléphantesques, il dévisagera d'un œil furibond le naïf animalcule – moi – qui a eu l'imprudence, et sans doute l'impudence, de s'aventurer sur ses terres. Car il faut voir ce que me prédit l'homme de loi : si je m'obstine à réclamer qu'un magistrat se penche sur le meurtre de ma sœur, il faudra préalablement que le doyen des juges d'instruction commence par prendre connaissance de ma requête puis consente à la transmettre au parquet, lequel parquet, vraisemblablement une sous-espèce du groupe Mastodonte, finira par rédiger un réquisitoire et me demandera une caution pour s'assurer du sérieux de ma démarche ; le montant de cette consignation, dit élégamment la loi, est à la discrétion du juge mais ne saurait excéder quinze mille euros.

Il se peut cependant que je sorte victorieuse de ce premier parcours d'obstacles. Un magistrat instructeur sera alors nommé « au bout de quelques semaines ». Combien de semaines ? Les arts divinatoires, boule de cristal ou tarot de Marseille, sont seuls en mesure de l'indiquer, si je comprends bien. De toute façon, je devrai encore patienter jusqu'à ce que le juge ouvre le dossier, ce qui, vu l'encombrement des tribunaux, prendra « beaucoup de temps ». Autant de nouvelles semaines, voire de mois pendant lesquels les investigations de la police seront gelées.

Entre les lignes du mail que m'adresse l'avocat, je saisis aussi que le Mastodonte est d'une susceptibilité extrême. Pas question de le contrarier dans sa pesante, grave, puissante, solennelle progression. On ne titille pas la bête. Avant d'envisager d'aller lui chatouiller les naseaux, il conviendra d'y mettre les formes en lui adressant une gentille pleurnicherie qu'il baptise du doux nom de « plainte simple ». Ce timide et respectueux piaillement, le Mastodonte l'entendra, ou pas. Peu importe, on l'aura approché dans les règles. S'il n'a pas dressé l'oreille, on avisera dans trois mois, c'est notre droit.

Je calcule. Trois mois : fin septembre. Soit un an et quinze jours après l'agression.

Mais l'homme de loi me conseille vivement la prudence. Ne pas bouger avant octobre.

Nouveau calcul. Octobre, premier anniversaire de la mort de Denise. Pourrai-je tenir jusque-là ?

Il le faudra car j'avais oublié : la même horloge biologique gouverne la vie du Mastodonte et celle des micro-organismes dont il régit les destins. Juillet-août, vacances. Septembre, le temps de s'en remettre. Le Mastodonte ne reprendra pas sa marche avant la fin des beaux jours.

Comme toujours, je soupire. Et je paraphe sans broncher la gracieuse plainte rédigée par l'avocat. Je n'ai rien à y redire, il m'a comprise : dans son adresse au Maître du Silence, il a pris soin de souligner les liens qui m'unissaient à Denise. J'ai même l'impression qu'il s'inquiète bien plus que moi des capacités auditives de la bête. De son propre chef, il a glissé dans la plainte que je suis écrivain et que je dois à Denise mon goût pour la littérature. À preuve, avance-t-il, deux de mes livres.

Un petit bijou, cette plainte. Rien que son lexique : une savante mosaïque de mots modernes et de formules protocolaires droit venues de l'Ancien Régime. Ainsi, cette requête au Maître du Silence, je suis censée la « porter entre ses mains ». Il en faut moins pour que mon imagination s'emballe. Je me vois, sur le seuil d'un lit de justice aux murs constellés de fleurs de lys, fléchir la nuque et le genou, pauvre mendigote que je suis, river mes yeux au sol de peur de croiser le regard empli de foudre du puissant, puis m'avancer pour lui tendre, toute tremblotante, mon humble placet.

Mon voyage dans le temps est bref. Relisant une dernière fois ma plainte, je m'arrête à la phrase où l'avocat a argué de mon métier d'écrivain et je m'interroge : « Comment font les autres ? »

Il fait très chaud. Comme tout le monde, je pars en vacances.

Mais c'est bien connu : les tourments de l'âme, pareils aux maladies, ignorent les vacances. Je me repasse en boucle le film de ces derniers mois.

Le Mastodonte, ainsi que je le craignais, s'est assoupi dans son antre. Pas le moindre courrier d'un tabellion de service pour me signaler que ma requête au Maître du Silence est bien parvenue « entre ses mains », selon la langue en cours au palais de justice. C'est à croire que Thémis, la belle et sévère déesse dont la raide effigie s'affiche dans tous les tribunaux de France, a jeté son péplum par-dessus les moulins. Elle a dû décamper à la mer, où elle bronze seins nus sur une plage.

Un soir, histoire de voir à quoi ressemble le Maître du Silence, je m'offre une petite virée sur Google Images. C'est une femme. Et, comme Thémis, une belle femme. Elle a remplacé l'antique chignon de la déesse par un brushing flamboyant et lors de ses interventions publiques, elle arbore un décolleté d'un hâle irréprochable.

Il fait de plus en plus chaud, je ne me sens pas la force de lui en vouloir. C'est l'été, après tout.

Donc l'été. Je marche, je nage, je fais du vélo, je sirote du vin au soleil. Mais un souvenir, toujours, vient tout gâcher. Denise en nuisette dans son cosy. Un collier de graines indiennes qu'elle s'était acheté lors d'un voyage à Londres. Son dictionnaire préféré, le *Cassell's New English Dictionary* ; elle me l'avait donné avant de partir enseigner dans le Nord. Le maillot de bain à soutien-gorge baleiné qu'elle portait lors de nos premières expéditions au Fort-Bloqué. La bicyclette rouge que mon père lui avait offerte l'année de ses sept ans ; c'est sur sa selle, comme mes sœurs, que j'ai appris à faire du vélo. Le « buccin » : un énorme coquillage rose – d'où venait-il ? – qu'elle me tendait en me disant que j'y entendrais le bruit de la mer. Ces nuits des vacances de Noël où ma mère m'autorisait à dormir avec elle dans le cosy. Il faisait très froid, le poêle tirait mal, nous mêlions nos chaleurs. Je me faisais la plus petite possible pour ne pas troubler son sommeil.

Un soir, je suis occupée à tailler mes rosiers quand je m'entends dire à haute voix : « Ça ne peut plus durer. »

Excellente résolution : comment ces flash-backs sans queue ni tête, pauvre brocante de la mémoire, remplaceraient-ils les phrases qu'on s'échange dans les familles après la disparition d'un proche, ces « Tu te souviens ? » « Tu te rappelles ? » qui servent à tisser la légende du mort et à nous en séparer en paix. Seulement, que faire ? Les chasser, ces souvenirs, dès qu'ils pointent le nez ?

J'essaie. Je ne tiens pas une heure. Nouvelle marée de réminiscences.

L'une d'entre elles – une fois n'est pas coutume – ressuscite un passé beaucoup plus proche. Il y a cinq ans, dans un salon du livre, une femme s'est présentée à moi comme une des infirmières qui avait entouré Denise lors de son premier internement. « Quand elle a commencé à aller mieux, m'a-t-elle confié, c'était un régal de l'écouter. C'est la personne la plus cultivée que j'aie rencontrée. Elle parlait souvent de vous. C'est comme ça que j'ai connu vos livres. Elle les aimait beaucoup. »

Six mois plus tard, la scène s'est répétée, là encore dans un salon du livre. Une autre lectrice – qui semblait bien connaître Denise puisqu'elle a évoqué sa maladie – m'a fait une confidence analogue. Peut-être avais-je pâli, ou paru mal à l'aise, elle a voulu me rassurer : « Vous savez, votre sœur vous suit ! Elle lit tous vos livres ! »

Alors ce n'était pas mort, ce qui s'était passé entre nous ?

Cette soirée-là est étouffante. L'orage menace et ne crève pas. Après le dîner, je vais chercher un peu de fraîcheur au fond du jardin. Je m'assieds sur une vieille souche et je regarde le soleil se coucher derrière le coteau qui surplombe la maison.

L'arrivée de la nuit, pour une fois, m'apaise. Je me répète une phrase que m'a apprise une amie tibétaine dont des proches étaient morts de froid ou, pire, sous la torture. Elle conservait pieusement leur mémoire et concluait toujours l'évocation de leurs moments de bonheur par la même formule : « Ce qui a été, est. »

Jamais ces mots ne m'ont paru plus justes. Denise et moi ne nous sommes pas croisées dans un passé fantomatique. Le temps du vélo rouge, du buccin qui racontait la mer et de la chaleur du cosy pendant les nuits d'hiver est toujours là, puisque je m'en souviens. Le lien qui nous a unies est assez fort pour perdurer au-delà de la mort.

Denise, cependant, a eu plusieurs vies ; je n'en connais qu'une. Des autres, je ne saurai sans doute rien. Pour ma famille, lors de son épisode le plus tragique, la maladie, je n'ai été qu'un fantasme. On s'est emparé des oripeaux de l'« Écrivain », on les a bourrés de toutes les peurs, rancœurs, haines, frustrations qui rongeaient la tribu, puis on a pointé du doigt l'épouvantail : « C'est lui, c'est lui, c'est sa faute ! » Mais à quoi bon y revenir ? La formule de mon amie tibétaine s'applique aussi à ces moments-là.

Je reprends le chemin qui mène à la maison. Quelqu'un allume l'électricité dans une pièce puis dans une seconde. Les fenêtres ressemblent à des yeux qui me suivent dans le noir. Ça me rappelle les tableaux de Magritte. Par association d'idées, une phrase du peintre me revient : « Tout ce que nous voyons cache autre chose. »

Seulement, de la vie de Denise, de sa mort, de ce meurtre, qu'est-ce que je sais, qu'est-ce que je vois ? Quasiment rien. Il faudrait que je rencontre Manuel et Tristan.

Mais comment m'y prendre ? Que leur a-t-on dit de moi, quand leur mère est tombée malade ? Qui le leur a dit ?

Et qu'y puis-je ? Pour eux aussi, ce qui a été, est.

Août se termine, la fraîcheur revient. Le ravage, lui, est toujours là.

Le partage des souvenirs, je le fais maintenant avec la nuit. Au même moment que l'hiver dernier, à l'instant noir, trois heures du matin. Quelque chose, soudain, me met en alerte ; je me réveille.

Je ne suis pas longue à identifier ce « quelque chose ». Deux jours avant, une semaine plus tôt, des amis ou des proches m'ont appelée. Ils m'ont demandé des nouvelles de l'affaire.

Je leur ai répondu qu'elle était au point mort et que la justice, de son côté, se murait dans le silence. Ils ont alors enchaîné sur des histoires de ripoux, d'enquêtes bâclées ou mal ficelées, de scellés perdus, de justiciables qui, pendant des années, ont crié dans le désert.

Leur analyse, à chaque fois, est identique. Soit la police et la justice estiment qu'elles ont d'autres chats à fouetter, soit elles ont des choses à se reprocher, voire à cacher. Ils concluent le plus souvent : « Il y a un loup. »

Un de mes proches me l'a dit en anglais : « *I smell a rat* », littéralement, « Je sens un rat ». J'ai préféré cette image à celle du loup. Avec elle, je renifle le remugle du rat, fétide à en donner la nausée.

Certaines nuits, j'en viendrais à croire que c'est lui, l'insaisissable et pestilent rat, qui me réveille sur le coup de trois heures du matin. Mais comme je ne vois pas où il peut se cacher, mon insomnie s'entête. Je cherche alors mon salut dans les livres.

La vieille maison en est bourrée, je n'ai que l'embarras du choix. Je musarde, je pioche, je me laisse porter par le hasard, le caprice. C'est ainsi qu'une nuit, je tombe sur *Double assassinat dans la rue Morgue* d'Edgar Poe. Des années que j'ai lu cette nouvelle, je ne m'en souviens pas.

C'est l'occasion rêvée pour la relire d'un œil neuf. Quand l'aube arrive et que je l'ai terminée, je me demande si on doit la classer dans le genre fantastique. Il semble plutôt que Poe, d'une façon assez réaliste, y définit les fondements de l'enquête policière moderne. D'après lui, le crime confronte l'investigateur à un ensemble de signaux d'apparence hétéroclites ; sa tâche consiste à comprendre le lien qui les unit. Le crime est un langage, nous dit Poe, son message s'étale sous nos yeux mais notre perception est brouillée. À nous de l'éduquer, à nous de l'affûter : « La vérité n'est pas toujours dans un puits. Je crois qu'elle est invariablement à la surface. »

Je consigne les deux phrases sur mon carnet. Puis j'écris : « Mais quelle surface interroger puisque je ne connais qu'une seule des vies de Denise ? Ne parlons même pas du crime lui-même, ceux qui sont censés avoir enquêté se taisent toujours. Et le Mastodonte n'est toujours pas sorti de son coma estival. »

Déferle alors la rage. Je jette le livre, je balance le carnet, je me claquemure dans ma cuisine ou mon bureau, j'y crache tout ce que je sais d'injures.

Ça ne sert évidemment à rien. Je regagne mon lit, où fatalement, le sabbat des questions reprend : « Sept agressions en un an, qu'est-ce qu'il leur faut de plus ? De nouveaux morts ? »

Mes nuits divaguent.

8 septembre, premier anniversaire du drame de l'impasse. Il fait presque aussi beau que l'an passé.

Le ravage a changé de forme. La nuit, maintenant, je visionne des chroniques de faits divers. « Faites entrer l'accusé », « Indices », « Non élucidé » « Enquêtes criminelles » « Chroniques criminelles », j'en ai déjà regardé une bonne trentaine, découvertes sur Internet ou en replay. Dans cet immense entrepôt de la violence, on trouve de tout. Du crime passionnel comme du crime gratuit, du meurtre imbécile, de l'assassinat machiavélique, du saucissonnage qui tourne mal, des viols sauvages, de la mort en série, des cadavres découpés à la tronçonneuse ou équarris au couteau de boucher. Je cale seulement devant les assassinats d'enfants. Devant ce rayon-là, je passe mon chemin.

Je ne suis pas dupe de ce qui m'arrive. Je cherche des gens qui me ressemblent, des parents de victimes qui, comme moi, d'une minute à l'autre, ont été propulsés sur les terres de l'effroi. Dès que le réalisateur leur donne la parole, je me sens mieux. Ils savent tout de l'attente et de ses ravages ; et il y aura toujours un moment où ils prononceront une phrase qui fera que je m'exclamerai : « C'est exactement ça ! »

J'ai besoin de me rassurer, je trouve mon compte dans ces documentaires. Leurs récits sont jalonnés de repères clairs, presque toujours les mêmes. Un monde sans histoires puis l'horreur. La vie bascule, le passé resurgit ; pour finir une enquête palpitante vient tout éclairer. Des flics se sont démenés, des magistrats se sont décarcassés, des témoins sont sortis du bois, des ADN ont parlé, des autopsies aussi. Enfin des rapports ont été remis, qui ont dénoncé des coupables.

De temps à autre, des fiascos judiciaires ont tout fait capoter, des enquêtes échouent. Des magistrats ont préféré passer à autre chose ou, comme m'en ont prévenu mes amis, on a perdu des scellés, détruit des scènes de crime, ignoré des témoins, dédaigné des pistes.

Ou des proches de la victime ont été méprisés, alors que tous les avocats le répètent : ce sont des mines d'informations. Ainsi ce père qui adressa en pure perte soixante courriers au tribunal chargé de l'enquête sur le meurtre de sa fille. La suite le prouva : les observations contenues dans ses lettres étaient essentielles. Sans un extraordinaire coup de théâtre, le meurtrier serait toujours à dormir sur ses deux oreilles.

Ces nuits-là, où l'histoire finit mal, je ne m'endors pas avant le petit matin.

5

Réparation

Je dois aux livres ma victoire contre le silence. Ce sont des passeports. Ils abattent les murs, les remparts, les frontières, toutes les barrières que les humains ont inventées pour s'ignorer, se déchirer. En ce début d'octobre, je présente mon nouveau livre à mes lecteurs bretons quand l'impensable se produit : lors d'une rencontre dans une librairie, je reconnais dans l'assistance un membre de ma famille. À l'issue de la rencontre, il s'avance vers moi.

Il me parle tout de suite de Denise. Comme moi, il ne sait presque rien de l'enquête. Ça semble le tourmenter.

Il est de ces enfants tard venus qui ont permis à ma mère de s'inventer une seconde vie ; il a très peu connu Denise et s'est construit sans elle. N'empêche, il est inquiet et ulcéré par l'opacité qui entoure le meurtre. Comme moi, il craint que le dossier de Denise ne soit classé.

Le sentiment d'injustice nous réunit. Je ne suis plus seule à cheminer sous la pyramide.

Quelques jours après, il m'apprend qu'il a écrit au Maître du Silence. Brièvement, courtoisement, comme il fallait.

À moi, le Mastodonte avait daigné répondre. Mais à lui, un anonyme, cette blague ! Le puissant animal, pas davantage troublé que s'il avait été effleuré par une fusée de papier, a poursuivi sa marche.

Sa marche vers quoi, au fait ? Le classement du dossier de Denise ? Serait-ce que nos modernes tribunaux s'inspirent des hypermarchés qui ceinturent nos villes ? Qu'ils se sont transformés en machines à distribuer de la justice de masse et fonctionnent sur le même principe que le monde de la marchandise : quand un produit, lors d'un arrivage, s'avère bizarroïde ou mal fichu, pas de sentiment, direct à la benne à déchets ?

Ensuite, un bon jet de Javel par là-dessus, on n'en parle plus. Il se trouvera évidemment quelques excités pour crier au gâchis mais ils se lasseront vite.

Au moment où j'avais quitté Paris, je vivais suspendue au fil de l'attente ; et même si je ne cessais plus de pester, j'espérais : « Ça s'arrêtera un jour. La justice ne peut pas faire fi d'une mort aussi atroce. »

À mon retour de Bretagne, j'ai changé du tout au tout. J'écris sur mon carnet : « Agir. Donner un grand coup de pied dans la fourmilière. »

Puis je cesse de prendre des notes. Quand je rouvre mon carnet, deux semaines plus tard, j'explique cette interruption : « J'ai pris un nouvel avocat. Je n'en veux pas au précédent. J'ai simplement voulu essayer autre chose. C'est comme un malade qui ne va pas mieux, il veut tester un traitement différent. Le nouvel avocat, je l'ai vu deux fois. Je reviens de son cabinet. Il paraît que le dossier judiciaire de Denise est vide. Il y a bien celui de la police mais comme le flic qui dirige les investigations n'a toujours pas rendu son rapport, pas de trace au palais de justice, c'est logique. Quant à la mention "Décès" sur la réponse de l'officier de justice à mon premier courrier, ça signifierait qu'aux yeux du tribunal, Denise est morte (enfin, "techniquement morte", ce serait le mot) d'autre chose que l'agression. Bref, pour la justice, mort naturelle. Le légiste, au moment de rédiger son rapport d'autopsie, a dû s'en tenir aux causes immédiates du décès, sans prendre en compte qu'elle avait été passée à tabac sept semaines plus tôt. Quand j'avais lu le premier courrier de l'officier de justice, je m'en étais doutée. J'avais poliment insisté, on m'avait poliment répondu, et voilà, je me suis laissée aveugler. Six mois que j'attends, six mois que je me piège toute seule. Toujours la même chose : le déni, ce frère pervers de l'espoir. »

Mon récit s'arrête là. Je ne dis rien de ce que j'ai éprouvé quand j'ai appris qu'aux yeux de la justice, Denise était morte de mort naturelle. Je vais tenter de le faire.

C'est difficile. J'ai beau essayer, je n'arrive qu'à aligner des images préfabriquées. J'écris, par exemple, que j'ai cru sentir mon sang se retirer de mes veines. Ça va paraître outré, je le sais, mais il y a eu de ça. Une partie de moi s'était mise à l'arrêt. Les poumons, le cœur, je ne saurais dire.

Mon mari m'avait accompagnée. J'ai tourné la tête vers lui. Il était blême. Comme moi, sans doute.

Je ne sais comment, j'ai réussi à retrouver mon sang-froid. J'ai demandé à l'avocat :

– Alors on fait quoi ?

– Je vais prendre langue avec le tribunal.

Le tribunal, enfin.

J'ai dû paraître exagérément soulagée, il a aussitôt enchaîné :

– Le temps judiciaire n'est pas le vôtre. Ça ne va pas se faire du jour au lendemain, loin de là.

– Quoi qu'il en soit, je ne subirai plus. Je…

Je n'ai pas pu achever. Il m'a observée sans rien dire, comme en attente d'un aveu. C'était la bonne méthode, cet aveu n'a pas tardé :

– Je gribouille des carnets. Je les ai commencés après l'enterrement et…

– Vous allez écrire.

Il ne questionnait pas, il constatait.

– C'est votre choix. Votre liberté.

Liberté. Longtemps que je n'avais pas entendu ce mot-là.

Mais il faut croire que libre, je me le sentais déjà ; des mots me sont venus tout de suite, qui n'avaient rien à voir avec le droit :

– Comment font ceux de vos clients qui vivent la même chose que moi et qui n'écrivent pas ?

– Ils s'écrivent une maladie. Souvent un cancer.

Sa réplique m'a secouée. Trois jours plus tard, je rédige sur mon carnet un texte en forme de déclaration d'intention : « Je vais écrire sur Denise. Écrire pour que la justice se mette à son tour à écrire. Des mots comme "crime", par exemple, au lieu d'"agression" et "meurtre" au lieu de "décès". Même si elle ne met pas la main sur le coupable, elle est seule à pouvoir laver nos vies du sang versé. Si la police a échoué, c'est à elle, la justice, de reprendre le flambeau. À elle d'agir, maintenant, à elle de dire, à elle d'écrire, à elle de remettre de l'ordre dans ce chaos. Il est simple, cet ordre, les humains le connaissent depuis la nuit des temps. Les vivants chez les vivants, les morts chez les morts. »

Le soir même, je décide d'aller explorer la ville. Je n'irai pas seule, je ne m'en sens pas la force. Mon mari et Isabelle, une amie journaliste qui ne s'en laisse pas conter, m'accompagneront.

– Le mieux, c'est de faire ça un samedi, conseille Isabelle. Ce jour-là, les gens sortent. On peut les voir, les observer.

– Et Denise, c'est un samedi qu'on l'a tuée.

J'avais pensé au jour, pas à la date. Nous sommes au bout de l'autoroute quand je m'en souviens : 2 novembre, l'anniversaire de l'enterrement.

L'occasion de dresser un bilan. Douze mois d'attente, douze mois de questions, il serait temps que je m'absente de cette histoire. Écrire un livre, c'est bien joli, mais comment m'y prendre ? Impossible d'en faire un objet. J'y serai nécessairement présente puisqu'elle m'est arrivée.

À moins de m'en remettre au principe de Stendhal : dans cette histoire, voir une route, ma route. Et tendre un miroir le long de ce chemin.

La banlieue se meurt, la ville s'annonce. Je sors mon miroir.

Le jour de l'enterrement, nous étions arrivés par l'ouest. Nous prenons cette fois la route de l'est.

L'automne incendie les rangs de peupliers et les ultimes vestiges des forêts. Entre les taillis, chapelets d'entrepôts, agglomérats de caravanes, puis une plaine d'où surgit un amas d'énormes caisses de tôle qui se donnent des airs de cavernes d'Ali Baba. Interminable ruban d'enseignes. Kiabi, Darty, La Foir'fouille, Picard, Mobalpa, Bébé 9-la Maison du bonheur, Roady, Cuir Center, Castorama, Saint Maclou, Kiloutou, j'en ai déjà le tournis, seulement c'est loin d'être fini, au premier croisement, nouvelle guirlande de néons, Celio, Cuisinella, Gémo, Etam, Carter-Cash. Et McDo, c'était fatal, Buffalo Bill, Pizza Hut, à quoi s'enchaîne l'entière déclinaison des croissanteries, crêperies, sandwicheries.

Un espace de coworking, quelque chose qui ressemble à une banque, on souffle. Et illico ça repart, bijouterie, animalerie, chocolaterie, magasin de téléphonie, de lingerie, de literie. On n'en verra jamais le bout.

Mais si. À l'angle de deux rues, la grande parade de la marchandise s'épuise. On va rejoindre la rocade sur une note gaie : une boutique de cotillons. Au-dessus d'une vitrine où grimacent tous les genres et sous-genres de vampires, sorcières et squelettes, une joyeuse banderole sanguinolente claque au vent : *HALLOWEEN !*

Halloween : c'est comme pour l'anniversaire de l'enterrement, j'avais oublié. Un an déjà, je n'y crois pas.

Bifurcation puis longue bretelle qui fend les champs. Vestiges d'un camp de Roms, monceau de ferraille. Une vieille ferme fortifiée déroule ses murs trapus sous le ciel bas avant de s'effacer devant des maisons de meulière, des pavillons bourgeois. Les rues sont de plus en plus étroites. Le centre-ville est proche.

On se gare, on sort. Qu'est-ce qu'on cherche ? On ne sait pas trop. On ira déposer une fleur sur la tombe de Denise, ça, c'est prévu, on arpentera le lotissement, on jettera un œil à l'impasse, sûr aussi, mais pour le reste, aucun projet précis. On ira ici et là, nez au vent, comme ça nous prendra.

Sur une place, au dos d'un panneau publicitaire, un plan. Le lotissement où se trouve la maison de Denise n'y figure pas. La carte s'arrête à la hauteur du « quartier sensible ».

Nos téléphones sont équipés d'un GPS mais nous aimerions une carte en papier : rien de meilleur pour se faire une idée de la forme d'une ville. Isabelle remarque une boutique : journaux, livres, cahiers, stylos : si nous tentions notre chance ? Nous ne sommes pas entrés que le quinquagénaire qui la tient secoue la tête :

– Longtemps que ça ne se vend plus. Peut-être à la mairie. Autrefois, ils en donnaient.

Isabelle insiste :

– Et une brochure sur l'histoire de la ville ? On trouve souvent des cartes dans ces petits bouquins-là.

– Qui voulez-vous qui lise ça ? Les anciens sont morts. Ou ils sont partis quand ils ont pris leur retraite. Les jeunes, eux, ils travaillent à Paris, alors quand ils rentrent, la lecture… Les journaux, oui, ils les lisent un peu. Mais les livres… Ici personne ne s'intéresse plus à la vie.

Il me plaît, cet homme, qui confond la vie et les livres. Denise, quand j'étais petite, était ainsi.

Ça le rend triste, que le monde ait changé. Il considère ses rayons d'un air désabusé.

– Alors votre brochure, votre plan…

– Vous savez, c'est comme tout, intervient Isabelle, qui a l'air d'avoir une idée en tête. Le calendrier des postes, par exemple. Il y a quantité de villes où c'est fini. Les postiers ne passent plus.

Au seul mot de « postiers », l'homme passe de la tristesse à la colère :

– Attendez, là ! Les postiers, il faut voir comment on les reçoit quand ils se présentent ! Et s'il n'y avait que ça, ici ! Les violences et le reste !

Réflexe de journaliste, Isabelle saute sur l'occasion :

– Vous voulez parler des cambriolages qui ont eu lieu ces derniers temps ?

J'ai pensé que la conversation allait s'arrêter net. Ce fut tout le contraire. Dans la seconde, l'homme a enchaîné sur la série d'agressions.

Je n'en croyais pas mes oreilles. Avant de venir ici, j'avais lu les verbatim des « Assises de la ville » et des réunions de quartier qui s'étaient tenues peu après la mort de Denise. Le maire avait souhaité les mettre en ligne ; je les avais épluchés.

C'était une mine d'informations, sauf sur un point : les attaques de vieilles dames. Personne ne les avait évoquées. Au moins trois agressions, pourtant, avaient déjà eu lieu et Denise, au moment des premières réunions, était entre la vie et la mort. Ceux qui avaient participé à ces Assises avaient parlé d'insécurité mais seulement pour récriminer contre les marginaux, dealers, squatteurs, migrants, SDF qui pullulaient, selon eux, dans la cité sensible et les souterrains de la gare. Ils s'étaient aussi plaints de vols à l'arraché, de murs tagués, de voitures vandalisées ou brûlées. Mais sur les vieux qu'on avait cambriolés et violentés, sur le drame de l'impasse, silence absolu. Un sujet tabou.

Et voilà que ce commerçant brisait le silence. En nous livrant, sans qu'il soit besoin de le relancer, un luxe de détails, en particulier sur les débuts de l'enquête – il appelait cette période « ce qui s'est passé après l'histoire de la dame qui est morte ». Pendant les semaines qui suivirent le drame, nous disait-il, les soupçons des policiers s'étaient portés sur un employé chargé de livrer leurs repas aux habitants inscrits sur le programme d'aide aux personnes âgées. Une cuisine avait été spécialement affectée à la préparation de ces repas ; les noms et les adresses auraient été affichés sur un mur de la pièce. La police aurait alors supposé que l'agresseur était un des livreurs, ou pour le moins un homme qui tenait ses informations d'un cuisinier.

« Ce que ça a donné, conclut-il, je n'en sais rien. En tout cas, c'est ce qui s'est dit. Beaucoup dit. »

J'étais pétrifiée. Un quart d'heure dans cette ville et j'en apprenais davantage qu'en un an.

Pour autant, je raisonnais. Peu probable que Denise ait figuré sur la liste affichée dans les cuisines à l'intention des livreurs de repas ; selon Tristan, elle faisait ses courses elle-même. De toute façon, la question était ailleurs : pourquoi ne m'avait-on rien dit alors que toute la ville – une bonne partie, en tout cas – était au fait de l'enquête ? Pourquoi la police avait-elle baladé mon avocat ?

Je suis ressortie du magasin le pas flottant. Ce n'était pourtant que le début de cette étrange matinée. Une heure plus tard, dans une autre boutique puis au comptoir d'un café, le scénario s'est répété : quatre ou cinq phrases d'Isabelle, et on nous a parlé. Mêmes détails sur les premières semaines de l'enquête, à peu de chose près. Qui les avait lâchés, ces détails ? La réponse tombait sous le sens : les policiers chargés des investigations.

Et après ça, quand un avocat se risque à poser une ou deux questions à la police, simplement histoire que son client, un parent de la victime, se fasse un peu moins de mauvais sang, cette même police se retranche derrière le secret de l'enquête ?

En sortant du café, nous avons voulu revoir le panneau où était affiché le plan de la ville. Nous voulions nous assurer que nous avions bien vu, que le quartier de Denise n'y figurait pas.

Nous n'avions pas eu la berlue, il n'y était pas. Ni le reste du quartier, d'ailleurs, tout ce petit lacis d'impasses accotées au bois d'où, selon les hypothèses de la police, avaient surgi le, ou les agresseurs.

Ce non-lieu coincé entre l'autoroute, le Décathlon et le bois, nous avons alors décidé d'aller l'explorer sur-le-champ. Sans méthode ni projet précis. Nous voulions voir, c'est tout.

Ça s'est vu, évidemment, qu'on voulait voir. Nous avons vite rencontré des regards, disons, inquisiteurs. Mais Isabelle savait y faire : au lieu de les éviter, ces passants méfiants, elle les a abordés, et elle a annoncé carrément ce que nous faisions là et pourquoi : nous étions des proches de la vieille dame qui était morte après avoir été agressée dans la dernière impasse du lotissement, pas loin du Décathlon. Nous restions sans nouvelles de la police et de la justice ; nous n'en pouvions plus, nous voulions comprendre.

Ça n'a étonné personne, que la police se taise et la justice aussi. Les passants, à chaque fois, ont soupiré, hoché la tête. Parfois ils ont levé les yeux au ciel. Et certains ont parlé.

Ensuite, quand nous sommes allés déjeuner, nous avons fait le point et deux histoires ont émergé de ce qu'on nous avait raconté. La première ressemblait à une séquence de série télé. Un an avant l'agression de Denise, nous a-t-on confié, un petit groupe d'hommes armés avait dévalisé en pleine nuit la bijouterie du centre commercial. Avertis par une alarme ou l'appel d'un vigile, les policiers les avaient repérés et pris en chasse. À un moment de cette course-poursuite, les braqueurs avaient traversé la voie ferrée ; après avoir gagné le bois situé à l'arrière de la maison de Denise, ils auraient jailli dans son jardin, se seraient dissimulés à l'intérieur d'un massif avec leurs flingues et leur butin mais les policiers – rien moins que la BAC, paraît-il – les avaient délogés et coffrés, avant de revenir quinze jours plus tard, comme la fois précédente, bardés de gilets pare-balles et brandissant d'énormes projecteurs. On n'avait jamais su ce qu'ils étaient venus chercher dans le jardin de Denise, leur butin ou les armes des voleurs. Quant à « la dame qu'on a tuée ensuite », comme l'avait appelée ce passant, on ignorait comment elle avait vécu toute cette affaire. Elle n'avait pas déménagé, en tout cas.

À la fin du déjeuner, j'ai voulu savoir si la presse locale s'était fait l'écho de cette course-poursuite. J'ai eu beau tapoter sur mon smartphone, je n'ai trouvé qu'un entrefilet qui signalait que les braquages se multipliaient au centre commercial. Les gérants des magasins, soulignait l'auteur de l'article, suppliaient souvent la police de ne pas les ébruiter « afin d'éviter la mauvaise publicité ».

Fallait-il établir un rapport entre cette histoire rocambolesque et l'agression de Denise ? C'était aller vite en besogne. Dans le lotissement, lorsque les policiers avaient mené leur classique enquête de voisinage, personne, semble-t-il, n'avait évoqué la course-poursuite qui se serait terminée à l'arrière de la maison de Denise. Mais comme nous l'avait glissé un des passants : « Pour ce qu'ils nous ont questionnés, de toute façon ! Ils sont venus nous voir, seulement ils ne sont pas restés longtemps. On a eu l'impression qu'ils avaient déjà leur idée, qu'ils étaient venus pour la forme. »

Une autre histoire, d'après l'un de ces récits, avait circulé. Un mois ou deux après la mort de Denise – on ne savait plus exactement quand ; sa maison, en tout cas, était sous scellés –, quelqu'un, un jour de tempête, se serait aperçu qu'une porte battait au vent. Le commissariat avait été averti, des policières municipales avaient été dépêchées sur place mais elles n'avaient pas réussi à verrouiller cette porte. De guerre lasse, elles l'auraient bloquée avec la tondeuse à gazon de la morte. L'engin n'avait toujours pas bougé de là, disait-on aussi.

De la vérité remaniée, ces deux récits ? Du réel revisité, exagéré, déformé, brodé, rebrodé, réinventé, surinterprété et encore remanié à mesure que couraient les bruits, les rumeurs, les semaines et les mois ? Nous avons passé le déjeuner à nous interroger. Puis nous avons conclu : si ce qu'on nous a dit est vraiment arrivé, c'est accablant. L'enquête aurait été bâclée, et surtout, nous l'avions tous les trois remarqué : à un an de distance, le temps avait déjà fait son œuvre ; les mémoires s'étaient brouillées.

Au moment du café, du coup, la colère m'a une fois de plus aveuglée et j'ai renoué avec mon obsession : la nomination d'un juge d'instruction. « Il n'y a que la justice qui puisse tout reprendre à zéro. Seulement on n'a toujours pas le rapport du chef d'enquête, alors qu'est-ce que c'est, à la fin, cette police, tous ces flics… »

Je m'emportais. Je m'en suis aperçue à temps, j'ai étouffé ma rage, non sans mal, je dois dire. J'ai sifflé : « De toute façon, il faut qu'on file voir l'impasse. » Vingt minutes après, nous étions sur place.

Je n'ai pas pu m'approcher de la maison. Je suis restée dans la voiture. Je me suis bornée à baisser la vitre, et encore, d'à peine dix centimètres. Pour moi, Denise était là, confondue avec la scène de crime – du moins ce que j'en imaginais à partir des articles du journaliste et du bref récit de Tristan. Je ne pouvais pas détacher mes yeux des scellés apposés sur le garage, la porte d'entrée et la fenêtre de la cuisine ; tout en les fixant je me demandais – c'était idiot, j'admets – : « Est-ce que les sachets de lavande sont restés sur la table ? Et les taches de sang, où sont-elles ? »

À propos de ces scellés, d'ailleurs, j'ai immédiatement remarqué qu'ils avaient changé. Les rubans écarlates frappés de l'inscription *RF – Police nationale – Scellés – Ne pas ouvrir* qui figuraient sur la photo prise par le journaliste deux jours après le drame avaient été remplacés par de courtes bandes de chatterton gris, de celui qu'on trouve dans n'importe quelle quincaillerie.

Je ne savais qu'en penser – de toute façon, à ce moment-là, j'étais au-delà de la pensée. Face à ces scellés gris et à ces volets clos, je n'arrivais qu'à me dire : « Ça s'est vraiment passé, on a tué Denise, je n'ai pas rêvé. »

Puis ce « Je n'ai pas rêvé » m'est devenu insupportable. Comme Isabelle et mon mari s'étaient approchés de la grille, je leur ai crié : « Maintenant ça va, on part. Je reviendrai une autre fois. » Nous nous sommes alors dirigés vers l'allée cavalière qui longe le Décathlon et mène à la fameuse cité dont le chef d'enquête avait parlé à mon premier avocat.

Avant de nous engager dans le chemin, nous nous sommes arrêtés quelques instants. De l'endroit où nous étions, la maison était très visible. On distinguait jusqu'aux rubans de chatterton apposés sur les portes et la fenêtre.

Nous avons repris notre route. Le vent était tombé. Au-dessus de nos têtes, c'était le même ciel doux et large qu'un an plus tôt, exactement.

Le soir venu, avant de rentrer à Paris, nous nous sommes offert un moment de répit dans un café. Nous étions exténués. Après avoir remonté l'allée cavalière, nous avions sillonné la ville en voiture. C'étaient ces trajets qui nous avaient épuisés, pas nos marches. Ronds-points, sens interdits, voies piétonnes, ralentisseurs, bouts de rocades, impasses, la ville avait tout du parcours d'obstacles. Pour le reste, elle était tranquille, « presque trop tranquille » selon les mots du passant qui nous avait parlé de la course-poursuite entre la police et les braqueurs de la bijouterie. Qu'avait-il voulu dire au juste, avec ce « presque trop tranquille » ? Que ce calme était trompeur, que nous aurions eu tort de nous y laisser prendre ?

Nous étions perplexes. Jamais nous ne nous étions sentis en danger. De la journée, nous n'avions rencontré aucun de ces signes qui vous avertissent que vous feriez bien de décamper. Quand nous avons visité le

Décathlon, des familles déambulaient d'un pas débonnaire en s'amusant des vendeurs qui slalomaient en trottinette entre les linéaires de boissons énergisantes, ballons de foot, polaires, cannes à pêche, chaussures de sport fluo invariablement *made in China*. Une heure avant, lorsque nous avions remonté l'allée cavalière, nous avions jeté un œil derrière le vieux mur qui la borde sur la droite ; en nous hissant sur la pointe des pieds, Isabelle et moi avions aperçu des chevaux qui broutaient paisiblement dans une clairière ; on se serait cru en Normandie. Une fois dans la cité – proprette, rénovée, ravalée, repeinte de frais, située tout près d'un château environné d'un grand parc, la réplique du Moulinsart du capitaine Haddock –, nous n'avions croisé aucun de ces ados encapuchonnés et malfaisants évoqués par les participants aux Assises de la ville, ni le premier squatteur en quête d'un mauvais coup.

Mais était-ce seulement leur heure ? Quoi qu'il en soit, sous le ciel clair de ce début d'après-midi, ne s'étaient succédé que des scènes banales : des retraités s'offraient une partie de pétanque, des gamins s'affrontaient à vélo, des ménagères chaussées de Nike s'en revenaient d'une supérette en traînant leur caddie, certaines revêtues d'une burqa ; dans le parc du faux Moulinsart, des promeneurs en jogging s'agrippaient à la laisse de leurs chiens.

Cela dit, plutôt imposantes, ces bêtes ; et à présent que nous nous repassions devant notre thé fumant le film de cette journée, nous revenaient quantité d'autres détails, dispersés à la surface de la ville comme les signes éparpillés sur la scène de crime décrite par Edgar Poe dans *Double assassinat dans la rue Morgue*.

C'était par exemple l'affichette collée sur un transfo du Décathlon, où nous avions lu, sur fond de pistolet, menottes, policier en blouson, ce bandeau accusateur : *La violence ne vient pas des jeunes de banlieue mais de celles et ceux qui les y enferment.* Tout à côté, un panneau prévenait qu'on risquait d'être électrocuté si on grimpait sur le toit du magasin. Comme le centre commercial, le Décathlon et son entrepôt étaient-ils régulièrement cambriolés ? Bien possible : au moment où nous avions remonté l'allée cavalière, nous avions noté qu'on avait découpé par endroits le grillage qui clôturait le Décathlon. Un jeu d'enfant que de se glisser par un de ces trous afin de rejoindre le magasin ; du reste, des caméras étaient arrimées au toit de l'entrepôt voisin, braquées sur l'allée. Quant aux vieux murs de la propriété où paissaient les chevaux, ils étaient tagués.

Sans doute cette allée cavalière était-elle le terrain de jeux favori des marginaux de la cité. Lesquels avaient dû comprendre qu'on les soupçonnait d'être pour quelque chose dans les agressions de vieilles dames : lorsque le maire avait fait installer un système de vidéosurveillance au cœur du quartier sensible, le dôme où s'alignaient ces caméras avait été aussitôt mitraillé au calibre 9 mm. L'incident s'était reproduit quatre fois mais l'édile avait tenu bon ; on les avait remplacées jusqu'à ce que les apprentis snipers se fatiguent de les exploser. Elles aussi, les caméras, nous les avions remarquées lorsque nous avions traversé la cité.

On retrouvait des signaux analogues jusque dans les quartiers les plus respectables de la ville. Ainsi plusieurs banderoles s'étiraient le long des grilles de la caserne des pompiers : *Burn-out, aucune reconnaissance, halte aux agressions*.

Un vrai fourre-tout, ce mot d'agression. Je l'avais déjà relevé quand j'avais épluché le verbatim des Assises de la ville. Dans la bouche des habitants, il désignait indifféremment toutes sortes d'incivilités, de l'insulte aux vols de portable, tags sur les bâtiments officiels, moto-cross sauvages que les jeunes organisaient certains dimanches d'été dans le « quartier sensible ». Mais les inconnus que nous avions abordés l'avaient eux aussi employé pour évoquer le drame de l'impasse. J'avais eu l'impression que c'était pure convention car l'un de ces passants s'en était excusé : « Enfin, agression, si on peut dire. Ce qui est arrivé, c'est tellement pire. Faudrait pouvoir dire les mots, tout de même. »

Je n'étais donc pas la seule à vouloir qu'on appelle un chat un chat. Les gens avaient besoin de vérité et ils étaient comme moi : parler leur faisait un bien fou.

Il nous plaisait, ce café. Toutes les communautés de la ville s'y côtoyaient, tous les âges, et sans doute, comme au cimetière, toutes les religions. Peu de femmes, surtout des hommes, des jeunes et moins jeunes, négligés ou très bien mis. Dans son costume-cravate, un des clients avait des airs de dandy. Ça ne le gênait pas de voisiner avec un SDF ; ils étaient même en grande discussion.

Un gigantesque écran plasma était scellé au mur. Un régal si on aimait le sport. On diffusait justement un match. Les clients accoudés au comptoir le suivaient d'un œil distrait. Ils préféraient se parler. De quoi ? Pas moyen de savoir ; le boniment ininterrompu du commentateur sportif couvrait leurs conversations. On ne discutait sûrement pas des attaques de vieilles dames, il n'y en avait pas eu depuis six mois : trop loin, tout ça. À moins que la télé, durant un J.T., ne soit venue à évoquer un fait divers similaire et qu'un client n'ait remis l'affaire sur le tapis.

Quelqu'un qui vivait dans le quartier de Denise, par exemple, comme l'un des inconnus de ce matin.

Je me souvenais que l'un d'eux avait dit : « Je ne la connaissais pas, cette pauvre dame qu'on a agressée. N'empêche, tous les jours, je pense à elle. Il y a là-dedans quelque chose qui m'échappe. »

Ensuite, il avait secoué la tête : « Je n'accepte pas, je n'accepte pas. »

Nous, ce soir, il faut bien qu'on l'admette, maintenant que nous n'avons plus devant nous que des tasses de thé froid : nous ne sommes pas plus avancés que lui. Le meurtre de Denise nous échappe de plus en plus.

Et moi, comme cet inconnu, plus ça m'échappe, moins j'accepte.

J'ai peu dormi la nuit suivante. Je recommençais à enrager.

Puis, comme je m'épuisais à ressasser ce qui s'était passé la veille, une conversation m'est revenue. Je l'avais eue quinze jours plus tôt avec ma fille. Je ne saisissais pas pourquoi cet échange s'était invité dans mon insomnie : nous n'avions pas parlé du meurtre mais de son métier – elle est designer. Elle m'avait expliqué qu'il consistait souvent à ménager, dans les formes qu'elle créait, un « espace négatif » ; et comme je ne voyais pas de quoi elle parlait, elle avait tapoté sur sa tablette :

– C'est ça.

FedEx

Je ne comprenais pas :

– Qu'est-ce que Fedex a à voir avec ton métier ?

– Regarde bien cette image. Qu'est-ce que tu vois ?

– Le logo de la marque.

– Mais encore ?

J'avais beau faire, je ne voyais rien.

– Regarde entre le **E** et le **x**.

Je ne voyais toujours rien. Ma fille, alors, a suivi du doigt les contours de l'espace en blanc qui séparait le **E** et le **x**.

Une flèche. D'un seul coup, je ne voyais plus qu'elle. J'étais sidérée.

– C'est ça, un espace négatif, poursuivit-elle. Une image que tu perçois à ton insu. Dans ce logo, la surface blanche qui dessine une flèche est essentielle, c'est elle qui porte le message de la marque : Fedex achemine toujours ses marchandises à destination. Tu as vu ce logo mille fois, tu n'as jamais remarqué la flèche, tu n'as rien analysé. Pourtant le message est passé. Il est contenu dans cet espace en creux. Un signal diffus, mais pas du tout confus. Du coup, quand il affleure à la conscience, on est stupéfait et comme toi, on se demande : « Comment ça a pu m'échapper ? »

J'ai mis du temps à saisir pourquoi cet échange qui n'avait rien à voir avec Denise s'était insinué dans le cours de mes ruminations. Curieusement, c'est au moment où j'allais m'endormir que le lien avec ce qui s'était produit la veille m'est apparu : le « Ça m'échappe » du passant qui se disait hanté par la mort de Denise. Pareil à moi quand j'avais scruté le logo de Fedex, il pressentait qu'à la lisière de son petit monde se trouvait un signe qui devait tout expliquer. Mais, malgré ses efforts, il ne le découvrait pas.

Je savais maintenant quel était ce signe : l'envers de nos vies. Tout ce qu'au quotidien, nous voyons sans voir. Le monde marchand qui nous étrangle dans son licou comme l'autoroute en bas du lotissement où Denise avait cru pouvoir abriter son idée du bonheur. À l'entour de nos villes, les gigantesques caisses en tôle où nous nous bousculons, bétail aveugle, appâtés par les vaines promesses de bonheur que nos télés nous dégueulent dessus jour et nuit. Nos villes elles-mêmes, adossées à cette économie folle et repliées derrière leurs zones tampon, ces confins semi-industriels, semi-pavillonnaires, où tout peut arriver comme dans les films des frères Coen, à commencer par le pire. Puis là-bas, au loin, ces tribunaux destinés, précisément, à juger ce pire, le Mastodonte obèse, la justice de masse, ses fonctionnaires mal payés, les tribunaux plus encombrés que les entrepôts d'hypermarché.

Et tout le reste. La tyrannie de l'instant, sa frénésie, sa barbarie, la vie qui se réduit à une addition d'agitations, exclusions, fatigues, méfiances, croyances, solitudes, violences, folies qui ne portent pas leur nom, familles saisies par la haine, l'avidité, l'envie, qui se déchirent, explosent puis s'étourdissent de désirs aussi standardisés que futiles et vite assouvis. La police au milieu de ça, qui ne s'aime pas, blasée, lasse, blindée parfois jusqu'au cynisme, pas mieux payée que les magistrats, seule, la plupart du temps, à se risquer dans le monde des invisibles : les vieux, les pauvres, les errants, les migrants, les Gitans, les SDF, les sans-papiers, tous à tenter de survivre à la lisière des interminables rubans bitumés où circulent sans relâche les sacro-saintes marchandises. Il est là, l'espace négatif de notre joli monde, dans ces lisières, ces confins que nous refusons de nommer et même de voir, avec sa flèche qui nous pointera à la première occasion. Alors nous aurons beau crier : « Comment ça a pu m'échapper ? », nous n'y échapperons pas.

Le plus poignant du tableau, c'est le sort des plus désarmés, comme Denise, qui se sentait si bien dans sa maison de l'impasse, avec sa foi, ses photos, ses travaux d'aiguille, son amour pour ses petits-enfants, sa vie qui s'était si longtemps confondue avec les livres ; et comme ce minuscule astéroïde faisait largement son bonheur, elle n'a pas vu s'agrandir, à deux pas de chez elle, un monstrueux trou noir. Il a fini par l'engloutir.

Je ne pouvais pas me rendormir. Je me suis levée, j'ai écrit. Ce furent les dernières notes de mes carnets. Quelques phrases en style télégraphique qui résumaient l'échange que j'avais eu avec ma fille ; un paragraphe sur l'image du trou noir puis ces lignes : « Seulement ce n'est pas un extra-terrestre qui a jailli du trou noir pour tuer Denise. C'est un humain. Donc il ne faut rien lâcher, la justice humaine doit s'en mêler. Plus d'un an après les faits, ses chances de mettre la main sur le coupable sont minimes mais on ne sait jamais. Le Mastodonte est ce qu'il est mais c'est l'un des derniers remparts contre le trou noir. Il faut que la justice fasse son travail. Ne serait-ce que pour dire : "Denise n'est pas morte de mort naturelle, on l'a tuée." »

J'ai encore attendu des semaines avant d'avoir des nouvelles du tribunal. J'étais pourtant confiante. Je n'avais plus peur du silence, je ne craignais plus l'effroi. Désormais, je parlais librement, tranquillement du crime. La preuve : peu après cette nuit mémorable, j'avais joint le journaliste qui avait couvert l'affaire, puis le maire de la ville. Ils n'en savaient guère plus que moi et sur nombre de points, leurs souvenirs étaient flous. Mais ça m'a fait du bien de leur parler : eux non plus, ils n'avaient pas oublié le meurtre de Denise.

Les événements se sont alors précipités. Quatre jours après mon échange avec le maire, un samedi, peu avant huit heures du matin, dans une impasse située à un kilomètre de la maison de Denise et à cinq cents mètres du bois qui longe la zone pavillonnaire, une femme de soixante-dix-neuf ans et sa fille handicapée, celle-ci âgée de cinquante-trois ans, furent à leur tour agressées à leur domicile. Grâce à l'intervention d'un voisin, dont l'épouse avait été elle-même attaquée un an plus tôt – chez elle, également, à quelques mètres de là –, l'intrus avait été mis en fuite et les deux femmes avaient échappé au pire. Mais, racontait la journaliste dépêchée sur les lieux, l'agresseur les avait violemment frappées ; on les avait retrouvées couvertes d'hématomes, le visage en sang.

Le voisin qui était intervenu et s'était battu avec l'inconnu se montra beaucoup plus direct. Comme ceux qui avaient découvert le corps inanimé de Denise, il affirma : « Elles ont été massacrées. »

Avec ce voisin, pour une fois, on disposait d'un témoignage très précis puisqu'il avait affronté l'assaillant avant que celui-ci ne s'évanouisse dans les rues adjacentes. Il le décrivait comme un jeune homme d'une vingtaine d'années, mesurant environ un mètre soixante-dix, vêtu d'un blouson et le visage dissimulé par un de ces masques de tête de mort qu'on vend pour Halloween. De ce dernier point, toutefois, il n'était pas sûr ; il pouvait aussi bien s'agir d'un foulard imprimé de motifs noir et blanc. En revanche, il se disait absolument certain que l'inconnu avait agi seul, qu'il avait la peau noire et qu'il était entré chez les victimes par l'arrière de la maison.

Dans son article, la journaliste évoquait sommairement les agressions précédentes, dont celle de Denise. Elle mentionnait aussi qu'une « source judiciaire proche de l'affaire » s'était exprimée.

J'ai eu ce matin-là une très mauvaise pensée : « Cette fois, ils sont coincés. Ils vont être obligés de nommer un juge d'instruction. »

« Ils » : voilà que je m'y mettais, moi aussi, voilà que je fantasmais sur une sournoise toute-puissance occupée jour et nuit à régenter nos pauvres vies.

Mais je ne pensais pas aux voyous, non plus qu'à la police. Reflet très exact de mon état d'esprit, mon « ils » à moi, c'était le Mastodonte.

Pour une fois, il s'est pressé. Un mois plus tard, le dossier de Denise a été confié à un juge d'instruction.

Dès que je l'ai appris, j'ai déposé ma demande de constitution de partie civile. Rien n'a changé. À la mi-mars, lorsque le virus a déferlé sur le monde et que le confinement a été décrété, ce dossier n'était toujours pas communiqué à mon avocat.

Une fois encore, j'ai calculé : au mieux – même si la télévision, dans ses séquences d'« actualités heureuses », assure que les magistrats instructeurs profitent de leur réclusion à domicile pour traiter les affaires en souffrance –, je ne verrai pas la couleur de ce dossier avant l'automne.

Deux ans que Denise sera morte.

J'en sais malgré tout un peu plus. Des rumeurs, comme toujours. Les agressions ne se limiteraient pas à la ville. D'autres attaques similaires se seraient produites dans la région ; il y aurait eu d'autres décès.

On m'a dit aussi que le pavillon de Denise – en décembre, paraît-il, à l'époque où la nomination d'un magistrat instructeur était dans l'air – a fait l'objet d'un second cambriolage. On aurait volé une table de valeur et saccagé la scène de crime. Elle serait désormais inexploitable.

Ce dernier épisode m'a valu une nouvelle nuit d'insomnie. Le Mastodonte y verra sans doute l'effet d'une nature par trop sensible et imaginative mais ç'a été plus fort que moi : j'ai eu l'impression que Denise avait été assassinée une seconde fois. Ou que sa tombe avait été violée, comme on voudra.

Ma colère a été brève. Vingt-quatre heures après, je ne pestais plus contre ce « dysfonctionnement » – ce mot si cher aux administrations prises en flagrant délit de négligence ou de mépris. Il faut dire que les images d'une catastrophe sanitaire ont une vertu : elles vous conduisent à relativiser la douleur et l'effroi.

Et puis j'écrivais.

J'en ai maintenant fini. J'ai classé mes paperasses, refermé mes carnets. Mais qu'on n'imagine pas que j'ai tourné la page : comment le pourrais-je, avec cette justice au point mort ? J'ai simplement tourné une page. J'ai restauré notre lien, à Denise et moi : ma main, quand j'étais enfant, qui s'accrochait à la sienne comme si c'était une ligne de vie.

J'ai tenté de lui rendre vie, à défaut qu'on lui rende justice. Au moins je ne l'aurai pas laissée sans voix.

D'ailleurs, je l'entends encore, sa voix. Elle me parlait. Je ne sais pas ce que je lui répondais. Rien, probablement, mon amour était muet. Mais ce fut un amour, un vrai. De ceux qui rendent les mots impuissants.

Ou il faudrait que je raconte ce qui s'est passé en janvier, quand je suis revenue dans la ville. C'était la troisième fois depuis la Toussaint ; je n'avais jamais manqué de retourner sur la tombe de Denise.

Elle était très fleurie. Entre tous ces hommages, j'ai remarqué une bougie. On l'avait entortillée de guirlandes de Noël. Il n'y avait qu'un enfant, ou des enfants, pour avoir imaginé un tel geste.

Ses petites-filles, sans doute. J'ai pensé : si Denise était morte quand j'étais petite, j'aurais fait comme elles. J'aurais voulu que ma sœur ait un beau Noël, et pour la consoler de ce qui lui était arrivé, j'aurais allumé sur sa tombe une bougie entortillée de guirlandes.

Ai-je vraiment grandi depuis ce temps-là ?

Je suis
l'enfant
qui recolle
les histoires
qui les rafistole et les raboute
l'ouvrière cachée du grenier
la petite raccommodeuse qui prend tout
les guenilles
les chiffons
les trucs usés
mités
dépenaillés
c'est pour moi tout ça
même les trous et les morceaux
même les riens
parce qu'avec eux il y a toujours du bon mine de rien
et ensuite
j'essaie de faire du neuf

je rapièce
je rapièce
je répare en somme
je suis la petite ravaudeuse du passé
la rétameuse qu'ils n'entendent pas
par en dessous dans la maison quand je tire l'aiguille
pas grave du moment que les histoires sont réparées
moi de toute façon
ça me répare aussi de réparer les histoires
et là-haut près du ciel
je ne me sens jamais seule
à piétiner l'oubli sous les ardoises du toit.

12 avril 2020

Du même auteur

Quand les Bretons peuplaient les mers
Fayard, 1979, 1988

Contes du cheval bleu : les jours de grand vent
Jean Picollec Éditeur, 1980

Le Nabab
Jean-Claude Lattès, 1982
et « Le Livre de poche », n° 6423

Modern Style
Jean-Claude Lattès, 1984

Désirs
Jean-Claude Lattès, 1986

Secret de famille
Jean-Claude Lattès, 1989
et « Le Livre de poche », n° 6963

La Guirlande de Julie
Robert Laffont, 1991

Histoire de Lou
Fayard, 1990, 1993

Devi
Fayard, 1993

Quai des Indes
Fayard, 1993

Vive la mariée !
Du May, 1993

La Vallée des hommes perdus
L'Inde secrète
(aquarelles d'André Juillard)
Éditions DS, 1994

L'Homme fatal
Fayard, 1995

La Fée Chocolat
(illustrations de Laurent Berman)
Stock, 1995
Fayard, 2002

Le Fleuve bâtisseur
(photographies de Bérengère Jiquel)
PUF, 1997

L'Inimitable
Fayard, 1998

Lady Di
Éditions Assouline, 1998

À jamais
Albin Michel, 1999

La Maison de la source
Fayard, 2000

Julien Gracq et la Bretagne
Blanc Silex, 2000

La Côte d'amour
(photographies de Christian Renaut)
Alizés l'Esprit large, 2001

Pour que refleurisse le monde
Entretiens avec Jetsun Pema
Presses de la Renaissance, 2002

Les Hommes, etc.
Fayard, 2003

Le Guide du Club des Croqueurs de chocolat
(avec Sonia Rykiel et Julie Andrieu)
Michel Lafon, 2003

Le Bonheur de faire l'amour
dans sa cuisine et vice-versa
Fayard, 2004
et « Le Livre de poche », n° 30543

Les Couleurs de la mer
(photographies de Philip Plisson)
La Martinière, 2005

Au royaume des femmes
Fayard, 2007
et « Le Livre de poche », n° 31039

À la recherche du Royaume
(photographies de François Frain)
Maren Sell éditeurs, 2007

Gandhi, la liberté en marche
Timée Éditions, 2007

Les Naufragés de l'île Tromelin
Michel Lafon, 2009
et « J'ai lu », n° *9221*

Le Navire de l'homme triste
et autres contes marins
L'Archipel, 2010
et « J'ai lu », n° *9910*

La Forêt des 29
Michel Lafon, 2011
et « J'ai lu », n° *9876*

Beauvoir in love
Michel Lafon, 2012
et « J'ai lu », n° *10723*

Sorti de rien
Seuil, 2013
et « Points », n° *P3364*

Marie Curie prend un amant
Seuil, 2015
et « Points », n° *P4449*